QUITTER SON PAYS

Castor Poche
Collection animée par
François Faucher, Hélène Wadowski,
Martine Lang et Cécile Fourquier

Une production de l'Atelier du Père Castor

23e édition - 2000

MARIE-CHRISTINE HELGERSON

QUITTER SON PAYS

Castor Poche Flammarion

Marie-Christine Helgerson

L'auteur est née à Lyon en 1946. Mariée, mère d'une fille, elle vit depuis quinze ans en Californie où elle travaille dans une école, à apprendre à lire à des enfants qui ont des difficultés : américains et émigrés. « C'est là, explique-t-elle, que j'ai fait connaissance avec les Hmongs du Laos. Leur courage pour s'adapter à une civilisation totalement différente de la leur, leur énergie pour apprendre une langue étrangère dont ils n'entendaient pas même certains sons, m'ont profondément émue. L'effort de ce petit peuple, victime d'une guerre dont il n'était pas responsable, ne pouvait rester ignoré : j'ai donc écrit ce livre pour les familles en exil et ceux qui les accueillent, en France, aux États-Unis ou ailleurs. Pour le préparer, j'ai lu de nombreux articles de journaux, des documents sur leur culture, la thèse de Jacques Lemoine que je veux remercier ici. Enfin, j'ai essayé de comprendre les immenses problèmes que peuvent avoir des enfants qui ont quitté leur pays. »

« Il est impossible de dire qui l'on est », affirme Marie-Christine Helgerson. N'en a-t-elle pas dit davantage sur elle-même en écrivant ce livre qu'en répondant à toutes les questions possibles sur sa vie, ses goûts, ses peurs, ses rêves ou ses joies ? Seule une femme infiniment réceptive à autrui pouvait être aussi sensible au drame qu'est l'exil pour un être humain, et mettre tout son talent au service des déracinés. Ceux que la guerre chasse de leur pays et ceux que la dureté de la vie chez eux exile de leurs semblables et de leur langue maternelle...

Du même auteur dans la collection Castor Poche :
Claudine de Lyon, n° 100.
Dans les cheminées de Paris, n° 119.
Lucien et le chimpanzé, n° 228.

Moi, Alfredo Pérez, n° 260.
L'apprenti amoureux, n° 288.
Dans l'officine de maître Arnaud, n° 333.
Vas-y Claire !, n° 506.

Marie Gard

L'illustratrice de l'interieur travaille dans un tout petit atelier « suspendu » dans le ciel de Paris. On y trouve des bouquets de chrysanthèmes en automne, de jacinthes en hiver, d'iris au printemps, de dahlias en été (les fleurs, c'est très important) et on y entend toutes sortes de musiques, y compris sa propre voix lorsqu'elle chante. Par la petite fenêtre, elle regarde les nuages qui glissent devant elle et qui eux aussi font des dessins...

Elle rêve beaucoup mais... c'est pour mieux dessiner !

Anne Buguet

L'illustratrice de la couverture est née le 24 juin 1943 à Paris, mais elle a passé son enfance au bord du lac d'Annecy, en Haute-Savoie. Souvent, le dimanche, son père l'emmenait peindre avec ses frères dans la nature pendant qu'il pêchait.

Elle a étudié le dessin aux Arts Appliqués et elle est aujourd'hui professeur. Elle vit à Paris avec un professeur d'anglais, et leurs deux enfants : Aude, qui veut être aussi professeur de dessin, et Guillaume, qui ne rêve que d'informatique.

To the Hmong children
of Isla Vista Schools

« On nous appelle les barbares,
les chats sauvages, mais nous nous appelons
les Hmongs : les hommes libres. »

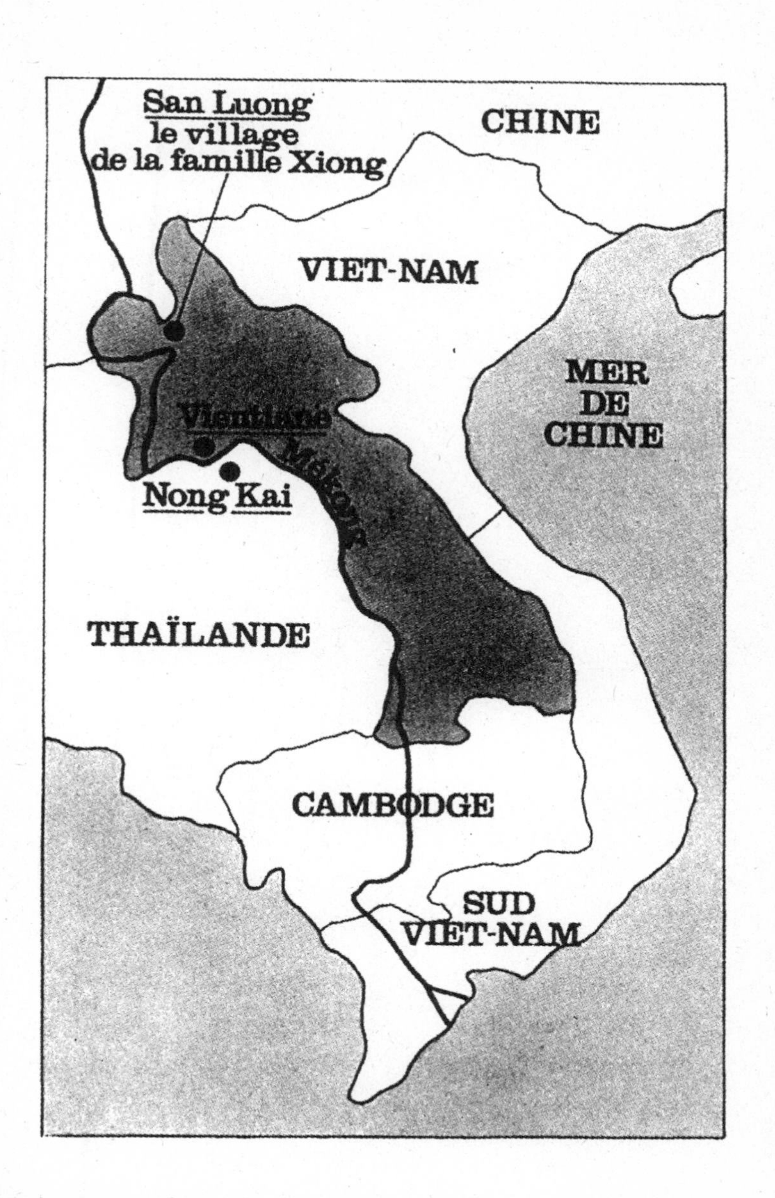
San Luong
le village
de la famille Xiong
CHINE
VIET-NAM
MER
DE
CHINE
Vientiane
Mékong
Nong Kai
THAÏLANDE
CAMBODGE
SUD
VIET-NAM

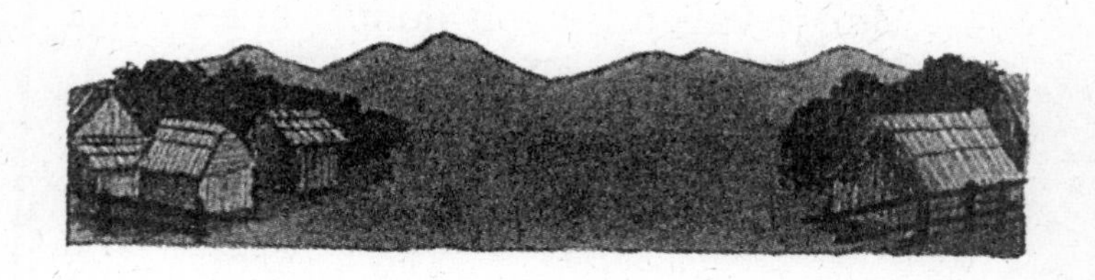

Chapitre I

Dans la maison de bambous, Meng et ses sœurs se sont enfin endormis. Dans la pièce à côté, leurs parents reposent l'un près de l'autre avec le bébé Pao.

Hier soir quand le soleil se couchait, Meng a entendu des coups de feu près du champ de maïs. Les poules couraient, affolées, et le chien qui reste toujours dehors pour manger les ordures s'était précipité dans la maison. Meng l'a chassé à coups de pied, car il sait bien que le chien ne doit pas rentrer dans l'endroit où l'on mange.

Puis il a dit bien fort pour que toute la famille sache qu'il n'a pas peur :

— Moi, je vais aller voir dehors si les deux cochons sont bien là. Ce ne sont pas des soldats qui m'empêcheront de sortir de notre maison.

Deux cochons. Cinq poules. Et un chien. C'est ce qu'il reste à la famille Xiong. Le mois dernier, des soldats sont venus dans le hameau. Ils avaient des mitraillettes. Et, à l'heure où le soleil s'incline, ils ont emmené l'oncle de Meng et sa famille. Puis ils sont revenus deux jours plus tard, ils ont pointé leurs mitraillettes contre la poitrine de son père et ils lui ont dit :

— On prend tes deux buffles et tes trois cochons. On te laisse ta peau, tu n'as pas à te plaindre.

— Les cochons sont toujours là, dit Meng. Les soldats ne les ont pas eus.

— Ils en ont pris trois l'autre jour, dit sa sœur, Kang Mo. Moi j'ai peur, et je veux pleurer.

— Avoir peur et pleurer, cela ne sert à rien. Ce ne sont pas les pleurs qui arrêtent les soldats. Tu sais bien ce qui s'est passé quand ils ont pris Oncle Ya.

— Je sais..., répond Kang Mo, en essayant de chasser de sa tête l'image de tous ces gens affolés, hurlant, les bras attachés dans le dos, que l'on a emmenés et que l'on n'a jamais revus.

*
**

Le lendemain au premier chant du coq, Tsi, le père de Meng, dit à sa femme :

— Aujourd'hui, Niam, je vais planter le riz. Ça va bientôt être la saison des pluies. La terre est prête.

— Pour que les soldats nous l'écrasent ? Ou le brûlent avec les gaz qu'ils lancent des avions ? demande Niam avec amertume, découragée de tous les malheurs qui se rapprochent jour après jour de son village. Ne perds pas ton temps, Tsi. Reste donc à la maison, j'ai besoin de toi pour me protéger.

— Il faut continuer à vivre. Et je dois vous nourrir. Reste à la maison avec les deux petits. J'irai au champ avec Meng et Kang Mo. Oui, je le sais bien, on n'est plus jamais tranquille maintenant. Mais qui plantera le riz pour vous tous?

— N'emmène pas Meng. Laisse-le ici avec moi.

— Allons, Niam, sois raisonnable. Il ne pourrait rien faire si les soldats venaient. Il est courageux, mais il est encore jeune. Tandis qu'au champ, il rend service. Il travaille bien. Et Kang Mo aussi, même si elle va moins vite.

— Eh bien, va au champ. Mais fais attention à eux. Ne les laisse pas s'éloigner de toi. Je me fais tout le temps du souci depuis que cette guerre rôde de partout.

Comme il reste un peu de riz décortiqué, Niam le lave et l'égoutte. Elle le fait cuire une première fois dans de l'eau bouillante. Elle le retire avec une large louche, puis elle l'égoutte de nouveau. Enfin, elle le met dans l'étuveur pour finir la cuisson à la vapeur.

Assise devant le feu, Pao sur son dos, elle pense:

« Tsi veut rester au village. Mais il faudrait partir avant que les soldats nous emmènent aussi, comme ils en ont emmené tant d'autres. Les soldats sont pires que l'épervier ou même le tigre. Le tigre, lui, n'ose pas venir près de la maison. Mais les soldats n'ont peur de rien. »

Une fois le riz cuit, elle en fait une grosse boule et deux petites, qu'elle serre dans des feuilles de bananier. Puis elle va dans le grenier à riz, à l'extérieur de la maison, et remplit une hotte de graines. Celles que Meng et son père vont aller planter.

Tsi prend son fusil, au cas où il pourrait tuer un milan ou un épervier (cela en ferait toujours un de moins qui essaierait d'attraper les poules), une bêche pour casser la terre, le bâton à fouir pour faire des trous dans le sol, et la hotte qu'il accroche sur son dos.

Meng attache autour de sa taille le sac où il mettra les grains à semer. Il prend aussi son arbalète : même quand il part avec son père pour travailler au champ, Tsi lui laisse toujours du temps libre pour se reposer et pour chasser, la grande distraction de Meng.

— Ne t'inquiète pas, dit Meng à sa mère. Nous reviendrons. Les soldats n'entreront pas chez nous.

*
**

Après avoir marché un quart d'heure, Meng est arrivé au champ avec Tsi et Kang Mo. Malgré la chaleur, la terre n'a pas trop durci depuis hier, et un petit coup de bêche en surface va être suffisant, avant de faire les trous pour planter le riz.

Meng s'assoit avec Kang Mo à l'ombre d'un arbre, en prenant bien soin de ne pas renverser la hotte que leur père a posée près d'eux.

— Dis-moi la vérité, Meng. Est-ce que tu as peur ou pas peur des soldats? demande Kang Mo.

— Je te l'ai déjà dit, c'est inutile d'avoir peur. Nous, contre la guerre, on ne peut rien faire. Et quand on a peur, on a mal à l'âme. Cela ne fait mal qu'à soi. Regarde Papa. Il travaille. On dirait même que pour lui il n'y a pas de guerre. Bien sûr les soldats ont pris des gens dans notre famille. Peut-être sont-ils tous morts maintenant? Peut-être sont-ils prisonniers à Vientiane?

— C'est où Vientiane?

— C'est très loin.

— Plus loin que Xai, où Maman va vendre les poules ?

— Bien plus loin.

— Comment tu le sais ?

— C'est Papa qui me l'a dit.

— Et comment Papa le sait ?

— Il le sait. Tiens, pendant qu'on n'a pas de travail, profitons-en pour aller chercher des fourmis. Avec les galettes de maïs, ce sera bon. Et puis on pourra peut-être tuer un écureuil. Ce n'est pas demain qu'on aura du poulet. Les poulets, c'est pour dans trois mois, au moins.

Tsi recommande à Meng de ne pas s'éloigner et de rester à portée de voix. Dès qu'il aura fini son coup de bêche, il veut se mettre tout de suite à planter. Aujourd'hui, il faut finir au moins le quart du champ.

— Meng, tu es l'aîné. Fais bien attention.

— Moi aussi je peux faire attention, dit Kang Mo. Si je viens au champ avec toi, ça veut dire que je suis plus raisonnable que le bébé Pao.

*
**

Meng et Kang Mo marchent l'un derrière l'autre sur le sentier. Meng connaît le chemin. Il est déjà venu ici au troisième mois de l'année pour chasser quand c'est la pleine saison sèche. Le matin, on abat les arbres que l'on fait brûler pour faire des champs. L'après-midi on va chasser.

Kang Mo n'a encore jamais essayé de tirer avec une arbalète et elle attend le jour où son frère lui laissera essayer la sienne. Elle a bien l'intention de tuer un écureuil du premier coup. Quand Meng était allé à la chasse pour la première fois de sa vie, il n'avait tué qu'un oiseau moqueur. Kang Mo est décidée à faire mieux que son frère : un écureuil, ce sera mieux qu'un oiseau.

Ils ont marché pendant dix minutes. De là, si Tsi met ses mains en porte-voix, on l'entendra.

Arrivé dans la forêt, Meng dit :

— On ne va pas entrer très loin, mais si on passe par là, on trouvera sûrement des écureuils. Suis-moi.

— Moi aussi, je sais où il y en a. Et même des porcs-épics. Ce ne sera pas bien difficile de les tuer.

— Tu ne sais rien, toi. Tu n'es encore jamais allée chasser avec Papa.

— Mais je suis venue au champ avec lui. Du bord du champ, on voit la forêt. Et si on voit la forêt, on voit des écureuils.

— Hmm..., dit Meng pour ne pas fâcher sa sœur.

Pour s'assurer que son père est toujours à portée de voix, Meng crie :

— Ohé ! Ohé !

— Ohé, Meng ! répond Tsi.

— Tout va bien. On peut y aller.

La forêt est claire, mais en cette saison, il n'y a pas beaucoup de fruits à manger. Après la saison des pluies, viennent des fraises presque sans goût, mais qui sont juteuses et fraîches.

— Pas de fraises, et pas beaucoup d'écureuils, soupire Kang Mo.

Soudain, elle pousse un petit cri :

— Un rat !

— Chut !

Meng tire une flèche de son arbalète. Le rat tressaute en l'air, puis retombe.

— Tu vois, je l'ai eu du premier coup.

— Je vois bien que tu l'as eu. Eh bien moi, je vais le faire cuire.

— Et tu vas allumer un feu avec des silex? Papa sait faire, mais pas toi. Il te faudrait une semaine pour faire une étincelle.

— Hmm..., emportons ton rat. Mais c'est moi qui le ferai griller ce soir à la maison.

— Et si on trouve des larves de fourmis, on les fera rôtir aussi. Avec le maïs ce sera bon. On en donnera à Maman et à Papa, parce qu'ils travaillent, eux, comme nous. Mais pas à Yong, elle est trop petite.

*
**

Tandis qu'ils avancent en se glissant entre les bambous, Meng et Kang Mo entendent des gémissements:

— C'est peut-être un ours? dit Kang Mo. Papa dit qu'ils viennent jusque-là.

— C'est plutôt un soldat, chuchote Meng. Tais-toi. Écoutons.

Ils se mettent à plat ventre sur les feuilles et attendent.

— J'ai bien envie qu'on s'en aille et qu'on retourne vers Papa, murmure Kang Mo.

— Non. Laisse-moi aller voir tout seul. Je sais marcher sans faire de bruit.

— Et s'il a un fusil ? Qu'est-ce que tu feras ?

— Tais-toi. J'ai mon arbalète.

Meng, à pas feutrés, se met en marche dans la direction des gémissements.

Par terre, recroquevillé sur lui-même, Meng aperçoit un homme. Il est habillé comme son père, d'un large pantalon noir et d'une chemise courte. Il sanglote.

Meng s'approche de lui, lui met la main sur l'épaule. Il lève la tête. Ses yeux sont rouges et gonflés. Son front tout ridé. Il a l'air épuisé et d'une tristesse infinie.

— Qu'est-ce que vous avez ? demande Meng.

Ce n'est pas la première fois que Meng voit une grande personne pleurer avec tant de désespoir. Quand les soldats étaient venus au village, il avait vu des grandes personnes crier de douleur. Et même si son père n'avait rien dit, Meng avait senti la peine immense qu'il avait voulu cacher devant sa famille.

L'homme regarde Meng, puis il dit :

— Les soldats m'ont tout volé dans ma maison. Ils m'ont enlevé ma femme et mes enfants. J'étais au champ, seul. Quand je suis revenu, il n'y avait plus rien. Ils m'ont tué mes poules. Le chien a volé les poules mortes pour les manger. Je n'ai plus rien. Plus rien. Je vais aller à Vientiane. Je vais partir. Je ne veux plus rester dans le pays. J'ai emporté mon sac de riz. Du beau. Celui de Pha Mone. Je le planterai là où j'irai habiter.

Meng aussitôt pense à Niam : elle aussi est seule à la maison. S'il lui arrivait quelque chose ? Puis il se redit les paroles de son père : « Il faut continuer à vivre. »

— Et où vous habitez ? demande Meng.

— J'habitais à Latsa. Je m'appelle Han Thao. J'ai marché sur le petit sentier. Et j'ai aperçu votre village.

Meng appelle sa sœur, et dit à Han Thao de le suivre :

— Allons retrouver Papa. Il travaille au champ. Ce soir, vous pouvez venir à la maison. Le lit de l'hôte n'est pas occupé.

— Je suis tout seul. Je n'ai plus d'enfants. Oui, je veux bien aller chez vous.

Puis il ajoute avec amertume :

— Les soldats vont tous nous tuer. Vous aussi, vous allez partir. La prochaine fois, ce sera une bombe sur la maison. Sur votre maison. Il faut partir. Tous partir. Ils nous appellent « les chats sauvages », « les barbares », mais nous autres nous nous appelons les Hmongs, les hommes libres. N'oublie pas cela. Même si on nous force à quitter nos montagnes, nous sommes des hommes et des femmes libres.

Meng n'a pas très bien compris ce que voulait dire Han Thao. Partir, c'est aller dans la forêt claire pour chasser. C'est aller au village de Xai vendre des poulets. Partir, c'est aller à Houa Namaga pour le Nouvel An. C'est s'en aller trois jours. Aller tuer le buffle et les cochons. Manger de la viande autant qu'on peut. C'est ça partir. Et pas plus. Quand on part, on revient toujours au village.

Chapitre 2

Han Thao dit à Tsi :

— Tu plantes ton riz ? Pour que les soldats te l'écrasent ? Ou le brûlent avec les gaz ? Et pendant que tu es dans ton champ à t'occuper de ton riz, ils lanceront une bombe sur ta maison.

— Oui, je plante mon riz. Je veux vivre. Ensuite, je planterai du manioc, de la canne à sucre et du soja. L'année dernière, j'avais mis des aubergines et des concombres, mais la terre rouge n'est plus bien bonne. L'année prochaine, je brûlerai le bois, et je referai un champ.

Han Thao marmonne :

— Il plante son riz. Il ne veut pas penser à la guerre. Mais quand toute sa famille sera sous les bombes, et quand il sera dans le monde des ancêtres, les ancêtres lui diront : « Tsi Xiong, tu aurais dû partir avec ta famille et écouter Han Thao. Les Hmongs n'ont plus de place au Laos. » Peut-être y a-t-il un pays qui voudra de nous ? Un pays ? Quel pays ? Où ? De l'autre côté de la forêt ? De l'autre côté de Vientiane ? De l'autre côté de la rivière ?

Puis il dit :

— Allons, je vais t'aider, puisque tu veux vivre.

Il se taille un bâton à fouir. Il remplit le sac de Meng avec des graines de riz.

— Prenons cette rangée à nous deux, dit-il à Meng. À nous tous, on doit pouvoir finir de planter la moitié du champ avant qu'il ne reste du jour qu'une corne de bœuf.

Meng est content. Le travail va aller vite. Tsi et Han Thao tiennent chacun leur bâton pour faire des trous dans le sol. Ils piquent la terre rapidement de trente centimètres en trente centimètres. Derrière eux, Meng et Kang Mo puisent dans leur sac, et, le poing fermé, laissent tomber une dizaine de graines dans chaque trou. Cela va si vite que Meng n'a pas le temps de se relever, même pour jeter un coup d'œil sur le rat et les fourmis qu'il a mis à côté des trois boules de riz cuit.

Le soleil est en haut, et il n'y a plus d'ombre. Meng et sa sœur, fatigués d'être restés courbés, et de s'être levés avant la première aube, voudraient bien s'arrêter pour manger. Mais Tsi et Han Thao continuent leur travail sans se soucier des enfants.

Meng pense :

« Ce soir, Kang Mo et moi, on va faire cuire le rat et les fourmis. Demain, quand on reviendra au champ, j'irai chercher des fleurs de bananier. Maman nous fera de la soupe avec. C'est bon. J'ai faim. »

Kang Mo pense :

« C'est la faute des soldats et de la guerre. Normalement Papa vient au champ avec Maman. Maman pense à nous quand on a faim. Mais elle est restée à la maison. Et Papa a tellement de soucis qu'il nous oublie.

Et personne ne pense que j'ai faim. Et j'ai faim. »

Tsi pense :

« Si une bombe tombait sur la maison, je ne serais pas à côté de Niam et des petits. Mais il faut que je travaille. Partir ? Quitter ma montagne ? Et pour aller où ? »

Il se relève et dit à Han Thao :

— Reposons-nous. Tu partageras mon repas. Il faut que je te parle.

— Enfin ! soupire Meng.

Pendant le repas, Han Thao raconte comment beaucoup de Hmongs partent de leur village, et ensuite traversent la forêt, et ensuite vont à Vientiane, et ensuite traversent la rivière, et ensuite, et ensuite…

Mais Meng ne peut pas penser à cela. Son père est près de lui. Sa mère, pas très loin, sans doute en train d'égrener le maïs, de décortiquer le riz ou de broder, car elle a commencé une robe pour Kang Mo, une belle robe somptueusement ornée, qu'elle portera pour le Nouvel An. Et il pense au grand repas où l'on mange beaucoup de viande, du poulet, du buffle, du cochon. Mais il se rappelle que cette année, il n'y aura pas de buffles à tuer. Les soldats les ont pris. Partir ? La forêt dense, Meng n'y est jamais allé. Son père non plus. Du haut de la colline, il sait un endroit où on l'aperçoit : des montagnes et des montagnes couvertes d'arbres hauts, sans village, avec peut-être un chemin. Mais où est-il ? Et c'est dans cette forêt qu'il faudra s'enfoncer ?

— Finissons le champ, dit Tsi. Je planterai ensuite des crêtes de coq. Pourtant je le sais, ces grosses fleurs rouges, ça fait peur aux mauvais esprits, mais pas aux soldats. Ils se moquent bien de nos champs et de notre riz.

— Je resterai trois jours avec toi, pour t'aider, dit Han Thao. Et puis je m'en irai. Si tu veux, nous pouvons partir ensemble. Mais si tu insistes pour rester dans ton village, eh bien que l'esprit de tes ancêtres te protège. Je suis tout seul, moi, maintenant. Mais je ne veux pas mourir.

Puis il mange un tout petit morceau de la boule de riz de Tsi, lentement, en mâchant bien, pour avoir l'impression de manger beaucoup.

Tous les quatre, ils sont retournés dans le champ, et ils ont travaillé tard, jusqu'au moment où le soleil va disparaître.

*
**

Quand ils reviennent au village, Niam, en voyant arriver un hôte, se dépêche d'aller préparer le repas. Elle fait griller de minuscules bouts de lard séché.

Puis elle fait cuire des galettes de maïs qu'elle arrose d'une sauce au gingembre.

Meng en profite pour faire cuire le rat. La petite sœur, Yong, le regarde faire, en se demandant si elle va avoir droit à quelque chose. Mais Meng a travaillé avec Kang Mo jusqu'au soir. Ils ont faim. Donc pas de friandises pour Yong.

Assis sur des bancs de bois, Tsi et Han Thao fument une pipe à eau, en attendant le repas. Meng mangera d'abord avec eux, entre hommes, puis ce sera au tour des femmes.

Kang Mo est allée chercher de l'eau dans des tubes de bambou.

— Han Thao, lave-toi donc les mains pour manger, dit Tsi.

— Je ne mange pas, dit Han Thao par politesse, mais mangez, vous autres.

— Mange sans façon.

— Excusez-moi d'être ici maintenant.

— C'est un grand plaisir pour moi, de t'avoir dans ma maison.

Alors Han Thao se lave les mains, prend une cuillère en bois, met de la sauce et de la graisse de lard sur le maïs.

— Mange beaucoup, que tu n'aies plus faim, dit Tsi.

Mais Han Thao sait que le reste de la famille a faim aussi et qu'il faut partager la nourriture.

— Je suis rassasié, dit-il.

Et il quitte la table. Meng reste avec son père pour grignoter. Rester à table cela veut dire : Han Thao, tu ne prives pas notre famille. C'est un honneur et une joie de t'avoir. Il y avait vraiment de quoi faire un grand repas.

Pendant que sa mère et ses sœurs mangent, Meng regarde son père fumer sa pipe et boire de l'alcool de maïs avec Han Thao. Tsi remplit deux petits verres :

— Bois, cela te donnera du courage.

— Je ne veux pas boire avant toi.

— Mais si, tu me fais plaisir.

— Je m'excuse donc de boire avant toi.

Han Thao finit les deux petits verres. Puis c'est au tour de Tsi de faire la même chose.

Dans leur chambre, Meng, Kang Mo et Yong se sont endormis. Niam et Tsi s'étendent sur leur lit, le bébé Pao blotti près d'eux. Et dans la cuisine, Han Thao s'est couché sur le lit de l'hôte.

*
**

Il est presque minuit. Meng entend soudain des coups de fusil. Il s'assied sur le lit, se demandant s'il faut réveiller ses parents. Ce sont peut-être des soldats qui s'amusent à effrayer les gens des villages. Mais les coups de feu se rapprochent, accompagnés de bruits de moteur. Il sait bien que les bruits de moteur, ici, dans la montagne, au-dessus de la forêt, cela veut dire des avions qui portent des bombes. Ses parents se sont réveillés : eux aussi ont entendu.

« J'ai bien mon arbalète, pense Meng, mais cela ne sert à rien contre les avions et les bombes. »

Puis il se lève, va dans la chambre à côté, s'assied sur le lit et prend la main de sa mère qui pleure doucement.

Une explosion formidable retentit. Kang Mo se précipite, affolée. Meng regarde à travers les planches du mur : c'est la nuit de la lune descendante. Il devrait faire sombre dehors. Pourtant de grandes lumières rouges éclatent, plus fortes que lorsque son père brûle la forêt pour préparer le champ.

Meng et sa famille sont restés toute la nuit, serrés les uns contre les autres : jusqu'à la première aube, le village a brûlé, et les gens ont hurlé.

*
**

À l'aurore, Meng a enfin ouvert la porte. La maison des Moua a brûlé, et celle des Xain, et celle de Koya Lo. Les champs autour sont tout noirs.

«Pourquoi les autres et pas nous? pense Meng. Est-ce que c'est l'esprit de la terre qui nous a protégés?»

Il rentre dans la maison et il entend Han Thao dire à son père:

— Les soldats viendront après avoir lancé leurs bombes. Ils te prendront, toi et ta famille, comme ils m'ont pris ma femme et mes enfants. Il faut préparer le départ. Il y a un chemin qui traverse la forêt.

Chapitre 3

Quand le soleil paraît à l'horizon, Meng va voir le village qui fume encore, les grands trous noirs dans le sol, les champs brûlant de cendres rouges, les groupes de gens qui pleurent.

Dans l'air, il y a une odeur de poudre qu'il n'a jamais sentie, même à la chasse.

« C'est sûrement l'esprit à l'odeur affreuse », pense-t-il.

Dehors, près de la maison, Han Thao et son père creusent un grand trou, puis un plus petit à côté.

— On ne va pas travailler au champ ? demande Meng.

— Ils ont tout brûlé, tu l'as bien vu, dit son père. Il faudra des mois et des mois avant que notre terre puisse produire quelque chose.

— Et pourquoi creuses-tu ces trous?

— Attends, tu vas comprendre.

Dans la maison, sa mère n'est pas à son travail habituel du matin. Elle n'a pas fait son chignon, alors qu'elle dit toujours: « Une femme courageuse ne laisse jamais ses cheveux défaits quand elle est debout. » Elle vient de tuer un poulet, le seul qui reste. Les quatre autres sont introuvables ainsi que les cochons. Elle le plonge dans l'eau pour le plumer, nettoie les tripes qu'elle enfile sur des bâtonnets, coupe la tête et les pattes qu'elle met de côté, et le fait cuire avec des piments. Elle enroule dans une couverture les costumes du Nouvel An, les bijoux d'argent, les bracelets, les colliers, les boucles d'oreilles, la plaque ciselée de Tsi. Elle va dans le grenier dehors, à petits pas pressés, et remplit jusqu'au bord un grand sac de riz.

— Meng, dit-elle, rends-toi utile ! Transporte ce sac dans la maison.

Meng obéit aussitôt. Il comprend ce qu'a dit Han Thao : « Les soldats vont tous nous tuer. » Il faut partir et sans perdre de temps.

Kang Mo prend la main de Meng et lui demande :

— Tu emportes ton arbalète ? Tu vas tuer des rats et des porcs-épics et des écureuils dans la forêt ? Ce n'est pas le poulet qui va nous nourrir pendant quatre lunes ou huit lunes ou…

— Ou pour toujours, dit Meng. On va aller jusqu'à Vientiane. Han Thao l'a dit. Et après, il faudra traverser la rivière pour aller ailleurs.

Niam appelle Meng :

— Viens chercher les plats de la cuisine. Apporte-les dehors à Papa.

— Pourquoi ? demande Meng.

— Quand les soldats viendront dans le village, ils nous voleront tout, ils casseront tout.

— Ils peuvent bien tout voler maintenant. Nous, on s'en va ailleurs.

— Ce qui est dans cette maison nous appartient, dit sa mère. À nous. Et pas à eux. Papa va tout recouvrir de terre. Tu l'aideras à chercher des petits bambous. Il les plantera à l'endroit où nous enterrons ce qui est à nous. Personne ne doit prendre ce qui nous appartient.

Meng trouve que c'est une bonne idée : quand les soldats rentreront dans la maison, elle sera vide. Et puis il pense vaguement que, peut-être, un jour, il n'y aura plus de bombes, plus de soldats et plus de guerre ; il fera bon alors retrouver ce que l'on va cacher. Le plateau fleuri a coûté le prix de deux poulets, il n'y a pas de raison de le laisser voler par des soldats.

— Moi, je veux tout emporter, dit Kang Mo.

— Kang Mo, mon petit, dit Niam.

Puis elle prend sa fille dans ses bras et lui dit à l'oreille :

— Il va falloir marcher pendant des heures et des heures. Moi j'aurai à porter Pao. Papa et Han Thao seront bien fatigués.

— Et eux qu'est-ce qu'ils porteront ?

— Quand Yong et ma petite Kang Mo

n'auront plus de jambes, et quand Meng, même Meng ne pourra plus marcher, il faudra que Papa et Han Thao vous portent, et vous n'êtes plus légers comme des petits porcs-épics.

Meng transporte dehors la poêle, la cuvette, les bols, les cuillères, le mortier, le pilon, la louche, la lampe à pétrole. Et son père met tout cela dans la grande fosse.

— Meng, viens avec moi maintenant, dit Tsi. Allons chercher l'autel des ancêtres. Tu vas m'aider.

Avec beaucoup de respect, Meng aide son père à transporter l'autel, et tous deux le descendent dans la petite fosse. Puis Tsi prend deux bougies, des bâtons d'encens et un bol de riz qu'il jette sur l'autel en disant :

— Nous avons jadis mis du riz sur vos langues quand vous êtes morts pour que nous ne perdions pas vos âmes. Nous avons fait brûler l'encens pour que vous nous protégiez. Que le riz que je vous offre aujourd'hui vous donne la force de garder l'âme de notre maison pendant notre absence. Si un jour nous revenons, nous libérerons votre autel de sa prison souterraine.

Puis avec lenteur, il recouvre l'autel de terre. Il fait de même pour tous les objets de la maison.

Meng comprend le sens de cette cérémonie, mais Kang Mo trouve que cette poignée de riz est perdue. Depuis le matin, elle n'a rien mangé. Et ça sentait bon quand Niam avait fait cuire le poulet.

Meng et son père vont déterrer quelques bambous. Ils les plantent sur les deux fosses. « Pourvu que personne ne puisse deviner où on a enterré ce qui nous appartient », se dit Meng.

Puis Niam va chercher la tête et les pattes du poulet.

— Tu as faim ? murmure Kang Mo à Meng.

— Tais-toi. Papa et Maman vont offrir un sacrifice à l'esprit de la terre pour qu'il nous protège pendant notre voyage.

— Est-ce qu'il va savoir nous protéger de l'esprit du tigre ? Et de l'esprit du tonnerre ? Dans la forêt, on va être tout seuls.

— Tais-toi, ce n'est pas le moment de dire ça.

— Je peux bien dire ce que je veux.

— Pas maintenant, Kang Mo.

Niam et Tsi croisent les mains sur la poitrine. Ils restent silencieux, la tête baissée. Tsi met le feu à des feuilles sèches et, devant la porte de la maison, il fait brûler la tête et les pattes du poulet.

Puis il va chercher une écorce d'arbre. Il fait des marques dessus avec son couteau. Et il glisse l'écorce taillée dans le tronc d'un arbre.

Meng sait ce que cela veut dire : l'âme des soldats, prisonnière de l'arbre, va tomber malade. Ceux qui ont pris la femme et les enfants de Han Thao, ceux qui ont tué Oncle Ya et sa famille, ceux qui ont détruit les maisons du village, ceux qui ont empoisonné et brûlé les champs de riz et de maïs avec les gaz et les flammes lancées des avions, ceux qui le forcent, lui et sa famille, à quitter leurs montagnes, méritent que leurs âmes malades souffrent et meurent aussi.

*
**

Niam vérifie que les bretelles qui attachent le porte-bébé sur son dos sont bien serrées. Elle accroche autour du cou de Pao des brindilles de paille tressée qui sont une protection contre les dangers. Han Thao prend son sac de riz. Tsi met dans une hotte les provisions, le poulet, le tube à sel, le riz, son filet de pêche, les vêtements et les bijoux. Kang Mo attache sur son dos sa poupée de bois. Elle prend la main de Yong. Yong est vraiment petite. Et Niam a dit qu'il faudrait marcher pendant des heures et des heures. Meng prend son arbalète.

*
**

Tout le monde est prêt.

Han Thao dit :

— Nous prendrons le chemin de Louangphrabang. Et de là nous demanderons la direction de Vientiane. Nous tâcherons de savoir si la ville est occupée par les soldats. Si oui, nous ne nous arrêterons pas et nous continuerons dans la forêt.

Tsi, sans se retourner, s'est déjà mis en route.

Kang Mo donne une caresse à sa poupée de bois, puis elle demande à Meng :

— Tu as bien ton arbalète ?

— Tu peux bien la voir, non ? répond Meng avec brusquerie, pour ne pas montrer qu'il a envie de pleurer.

Et les uns derrière les autres, Tsi, Han Thao, Kang Mo et Yong, Niam et Pao, et Meng fermant la marche, sont partis de leur village. Pour ailleurs.

Chapitre 4

Ils ont marché sans s'arrêter jusqu'à l'heure où le soleil va disparaître. Même Yong n'a pas demandé qu'on la porte. Pao a crié longtemps, puis il s'est endormi.

Le ciel est lourd, et il fait plus chaud, ici, que sur le haut de montagne où se trouve le village de San Luong. Meng a l'impression de ne pas pouvoir respirer.

À l'endroit où ils se sont arrêtés, une rivière coule. L'eau est peu abondante, car la saison des pluies n'a pas encore commencé. Demain, ce sera facile de la traverser à gué. L'eau n'est pas très claire, mais cela fait du bien de tremper ses pieds au frais.

Niam aurait voulu s'endormir tout de suite. Mais demain, il faudra se lever tôt, et il n'y aura pas de temps pour préparer un repas. Elle sort le poulet de la marmite, car la viande avec la chaleur ne se conserve pas.

Tsi va cueillir dans le bois des graines de lianes et des pousses de bambous.

Meng sait bien que le poulet, c'est pour les jours de fête. Mais aujourd'hui on va le manger sans joie : ses parents sont las et angoissés, et leur front est tout ridé.

« Tout de même, pense Kang Mo, manger du poulet dans la forêt, ça va être bon. J'espère que Han Thao sera aussi bien élevé que l'autre jour, et qu'il en prendra juste un peu. »

Puis ils ont étendu les deux couvertures par terre. Et les uns à côté des autres, ils se sont endormis.

*
**

Ils se sont levés au point du jour. Ils ont refait un paquet de leurs affaires.

— Est-ce que les soldats sont dans

notre village en ce moment ? demande Niam. Est-ce qu'ils auront fait brûler ma maison ?

— Je ne crains pas les soldats qui sont au village, dit Tsi. Mais ceux que nous pourrions rencontrer sur notre chemin.

— Les soldats ne peuvent pas savoir qu'on est ici ! s'écrie Meng.

— Il y a des gens dans les villages qui indiquent aux soldats où sont les Hmongs en fuite, lui dit son père.

— Pourquoi des Hmongs, des gens comme nous, voudraient-ils que les soldats nous retrouvent ? Les Hmongs sont les frères des Hmongs ! s'indigne Meng.

— Pas tous, Meng, pas tous. Les soldats ne font pas brûler les maisons des Hmongs qui nous trahissent. Et ils nous trahissent pour sauver leur maison.

— Mais quand les soldats lancent des bombes des avions, ils ne peuvent pas savoir où elles tombent ! De là-haut, comment savent-ils si ça tombe sur des Hmongs, amis des soldats, ou sur des gens comme nous qui les détestent ?

— La guerre, dit Tsi, c'est l'esprit du tonnerre, l'esprit du tigre, l'esprit du puits, l'esprit qui attaque, et l'esprit qui sent mauvais, qui font tous alliance ensemble. Ce ne sont pas les cinq méchants esprits les uns à côté des autres, c'est le méchant esprit le plus puissant de tous. Aucun sacrifice ne peut le calmer. Même si l'on était très riches, et que l'on tuait trois buffles et dix cochons, on n'arriverait jamais à calmer l'esprit de la guerre. Il est le plus féroce de tous, parce qu'il ne sait pas ce qui est bon et ce qui est mauvais. Il tue n'importe qui. N'importe où. Et c'est pour cela que nous sommes partis, Meng, pour trouver un lieu où l'esprit de la guerre est endormi. Et maintenant en route. Quand le soleil sera au plus haut, nous nous arrêterons. Si nous trouvons un point d'eau, nous ferons cuire le riz. Nous mangerons un peu de poulet. Niam ? Est-ce que le poulet durera encore deux jours ?

— Un jour, il n'était pas bien gros.

— Et nous avons à marcher à peu près quarante jours jusqu'à Vientiane, dit Han Thao.

*
**

Ils ont marché pendant dix jours, tâchant de renouveler leur réserve d'eau dans les rivières boueuses qui attendent les premières pluies. Ils ont fini leurs provisions de riz et de sel. Ils se sont nourris de mangues sauvages, de châtaignes amères et de châtaignes huileuses, d'herbes et de lianes, et du fruit à goût de graisse.

Meng ne parle plus avec Kang Mo.

Le bébé Pao crie sur le dos de Niam, parce qu'il a faim, parce qu'il a mal au ventre. Niam, qui mange de moins en moins, pour laisser la nourriture aux enfants, n'a plus de lait à lui donner. Tsi a les pieds enflés, et son dos, pourtant habitué à être courbé dans les champs, lui fait mal. Yong ne peut plus marcher, et Tsi doit la porter à tour de rôle avec Han Thao.

*
**

À la nuit du onzième jour, ils ont entendu des coups de feu dans la forêt. Ils approchent du bourg de Louangphrabang, là où ils pensent s'arrêter pour se reposer un ou deux jours, et demander la direction de

Vientiane. Les coups de feu sont proches. Han Thao dit qu'il vaut mieux éviter le bourg.

Au milieu de la nuit, alors qu'ils sont blottis les uns contre les autres, ils entendent un claquement qui les réveille. Tout près d'eux, des bruits de pas furtifs, puis des bruissements dans les bambous. Comme Niam allait se lever, Tsi lui met la main sur l'épaule et murmure :

— Ne bouge pas. Tiens le bébé contre toi, et ne bouge pas.

Les bruits de pas se font plus proches.

« Peut-être est-ce le tigre ? pense Meng. Le tigre est comme nous, il a faim. »

Puis soudain une voix dans la nuit dit :

— Sortez de là-dessous. J'ai un fusil.

Han Thao prend le bras de Tsi qui met sa main dans la main de Niam.

De nouveau la voix dit :

— J'ai un fusil, je vais tirer.

Alors Tsi dit :

— Moi aussi, j'ai un fusil. Qui es-tu ?

— Et vous autres, qui êtes-vous ?

— Nous sommes du village de San Luong,

et nous allons à Vientiane. Nous voulons passer le Mékong.

— Frère ! crie la voix. Moi, je suis de Pha Hok. Et je connais bien le chemin de Vientiane. J'étais soldat, mais j'en ai assez de la guerre. De ceux qui veulent protéger le Laos, et de ceux qui veulent s'emparer du Laos et tuer les Hmongs. Moi aussi, je vais ailleurs. Mais avant de partir, je dois aller dans mon village chercher ma femme et mes deux fils.

— Dis-nous le chemin de Vientiane.

Le soldat, Wu Ko, explique avec beaucoup de détails la route qu'il faut prendre. Puis il ajoute :

— Vous avez vu le ciel ? Demain soir, ce sera la première pluie. Les rivières vont grossir. Ne perdez pas de temps. Dans un mois, les chemins seront des torrents de boue. Et le Mékong sera si gonflé d'eau qu'il emportera avec lui ceux qui veulent le traverser. De l'autre côté de Vientiane, il y a le camp de Nong Kai. Vous devez essayer de l'atteindre. Que les dieux vous protègent !

— Et toi aussi, Wu Ko, dit Tsi. Que l'esprit de tes ancêtres te guide en dehors de notre pays, et demeure avec toi lorsque tu seras ailleurs.

*
**

Ils ont de nouveau repris leur marche dans la forêt. Il y fait maintenant chaud et humide, car les premières pluies sont tombées et la terre fume.

Kang Mo a été blessée à la jambe. Elle a deux larges entailles qui se sont infectées. Tout son corps est en fièvre et tremble. Mais elle ne peut pas se reposer.

Meng, pour lui donner du courage, lui redit les paroles de Wu Ko :

— Il faut continuer à marcher. « Le Mékong sera si gonflé d'eau qu'il emportera avec lui les gens qui voudront le traverser. » Il ne faut pas que tu meures, Kang Mo. Dans le monde au-delà, si tu arrives avec un corps malade, peut-être vivras-tu éternellement avec tes deux blessures qui te feront toujours mal.

La nuit, dans son sommeil, Kang Mo délire :

— Un frère et une sœur sont dans le bois.

Et ils rencontrent Grand Bambou. Et le frère et la sœur demandent : « Est-ce qu'il y a des gens qui nous aiment dans le monde ? » Et Grand Bambou répond : « Il n'y a pas un homme dans le monde, il n'y a pas un fantôme dans le ciel, il n'y a pas une âme sur la terre, parce que tout le monde a été tué par la guerre. » Puis Grand Bambou dit encore : « Prends la main de Meng. Car Meng est fort, et il a son arbalète pour te protéger. » Mais Kang Mo se fâche : « Grand Bambou, tu me fais mal, là, et là sur ma jambe. Et pour te punir, je vais te couper en deux. Si tu peux te recoller tout seul, Meng et moi, nous pourrons vivre. Mais si tu ne peux pas te recoller, nous ne pourrons pas vivre. Et il n'y aura plus de Hmongs sur la terre, car ils seront tous morts dans la forêt avec le Grand Bambou. »

Alors Meng va chercher de l'eau dans la rivière, et la verse à petites gouttes sur le front brûlant de sa sœur. Mais l'eau de la rivière est chaude, comme la terre, et comme les arbres, et comme le corps de Kang Mo. Et Kang Mo délire dans son sommeil.

*
**

Han Thao porte Kang Mo dans ses bras. Tsi porte Yong. Niam porte Pao. Et Meng marche tout seul. Ses jambes sont toutes tailladées et ses pieds nus, brûlants et gonflés. Il ne veut plus manger, car son ventre lui fait trop mal. Dans cet endroit de la forêt, son père et Han Thao ne connaissent pas bien les plantes et ils ont mangé des racines qui rendent malade.

Tsi a pris un poisson dans la rivière et le fait cuire. Il tape deux morceaux de silex l'un contre l'autre. Il prend une poignée de feuilles sèches pour que l'étincelle y mette le feu. Meng regarde son père avec admiration : au village, ils avaient un briquet et cela fait longtemps que Meng n'a pas vu son père faire du feu. Meng se rappelle ce que son père lui avait raconté : « C'est d'un météore que jadis le feu est tombé sur la terre. Le feu peut être le plus fou ou le plus fort. »

« Le feu est le plus fou quand il est le feu de la guerre, pense Meng. Et le plus fort quand il est le feu né des mains de Papa pour faire cuire le poisson qui nous permet aujourd'hui de vivre. »

Meng essaie de grignoter un peu de poisson, car il sent que cela lui redonnerait des forces. Mais dans son ventre, un couteau taille et coupe, et il n'a plus le courage de manger.

Il se demande si cette marche va jamais prendre fin. Kang Mo est étendue par terre. Son corps tremble. Son front ruisselle de sueur. Meng lui met la main sur le front, et la caresse doucement. Mais Kang Mo ne reconnaît plus Meng.

Alors il va couper une écorce d'arbre avec son couteau. Il la pose à côté de sa sœur, puis il tape sur l'écorce avec son poing fermé en disant :

— C'est pour te guérir, Kang Mo. C'est pour que le fantôme affamé qui est entré dans ta tête ait peur et s'en aille, et pour que ton âme qui doit être prisonnière du diable revienne dans ton corps.

Le soir, Meng entend Han Thao parler avec son père :

— Han Thao, dit Tsi, continue ton chemin. Nous avançons beaucoup trop lentement. Regarde, il n'y a plus que Meng qui puisse avancer tout seul. Et lui non plus n'a pas beaucoup de forces.

— Non, Tsi Xiong. Tu m'as reçu chez toi quand je n'avais plus de courage, et maintenant que ta famille est malade, je ne t'abandonne pas. Il doit nous rester encore cinq jours de marche, ce n'est pas le moment d'abandonner. Laisse-moi faire un sacrifice au dieu de la terre pour qu'il guérisse ta petite Kang Mo et qu'il redonne de la force à ta famille. Nous devons continuer à marcher.

Han Thao prend un peu de cendre qu'il dépose sur une pierre plate. Puis il s'éloigne dans la forêt. Meng voudrait bien le suivre pour voir comment Han Thao fait son sacrifice au dieu de la terre, mais il pense que ce n'est pas un secret que l'on doit partager quand on est un enfant.

« Quand je serai grand, j'irai demander son secret à Han Thao pour que le dieu de la terre protège aussi ceux que j'aime. »

*
**

Le lendemain matin, Kang Mo a ouvert les yeux. D'une des blessures de sa jambe coule un liquide blanc et épais. L'autre blessure est encore rouge et enflée. Elle demande un peu de riz à sa mère. Niam explique que cela fait longtemps qu'il n'y a plus de riz. Et l'on ne peut pas toucher à celui de Han Thao. Il le garde avec lui pour le planter sur la nouvelle terre des Hmongs.

Meng va couper une fleur de bananier, et il fait couler du suc entre les lèvres de Kang Mo.

— Essaie de te mettre debout, dit Meng. Bientôt, nous aurons traversé le Mékong. Bientôt, nous serons dans le camp de Nong Kai. Là, on saura comment te guérir.

De nouveau, ils ont refait le paquet de leurs affaires. Han Thao les met sur ses épaules. Il porte Yong dans ses bras. Tsi porte Kang Mo. Niam a son bébé. Pao ne crie plus, mais somnole toute la journée, la tête effondrée sur sa poitrine. Il ne se réveille que pour boire un peu d'eau. Son corps est devenu si maigre, et son ventre si gonflé, que Niam n'arrive plus à penser que ce minuscule paquet de chair est vraiment son enfant.

Et Meng regarde avec de grands yeux creux qui ont peur de comprendre ce qui arrive.

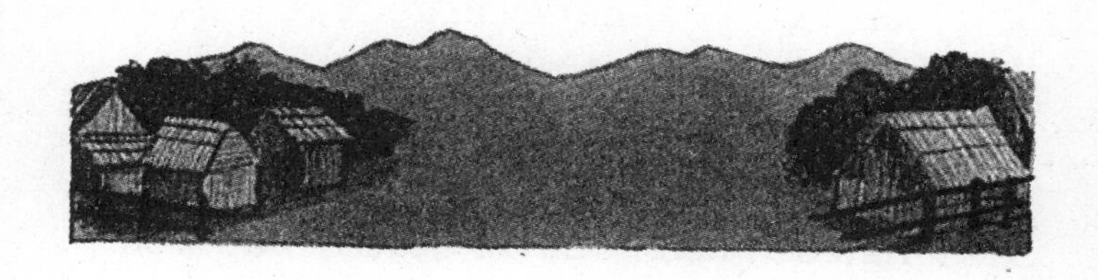

Chapitre 5

La route s'élargit. Ils approchent de Vientiane. Ils croisent maintenant d'autres groupes, semblables au leur, avec des petits enfants hagards, accrochés aux pantalons larges de leur père, ou suspendus dans des hottes, sur le dos de leur mère. Les gens échangent des nouvelles :

— Il ne faut pas traverser Vientiane. C'est plein de soldats.

— Il faut beaucoup d'argent pour traverser le Mékong, et aller en Thaïlande.

— On nous prend notre argent et nos bijoux. On nous promet de nous faire traverser le Mékong, mais ceux qui disent cela mentent. Ils prennent l'argent et les bijoux et après on ne peut plus partir d'ici.

— Il faut faire attention, parce que les soldats veillent nuit et jour et tirent sur les Hmongs qui essaient de quitter le Laos.

— Nous sommes prisonniers de la guerre pour toujours.

*
**

Tsi a retrouvé du courage malgré les nouvelles.

Vientiane est une grande ville et Tsi, habitué à ses montagnes, a peur de s'y perdre. Il préfère rester aux alentours. On lui indique un chemin ombragé qui mène au Mékong. De là, il faudra qu'il se débrouille pour trouver un passeur de nuit ou pour construire un radeau ou pour acheter de gros sacs en plastique: on les gonfle d'air et on s'accroche dessus pour nager. Mais Tsi et sa famille ne savent pas nager. Dans les rivières de leur montagne, on passe à gué. Et si l'eau est trop haute, on ne les traverse pas.

Ils marchent sur le chemin indiqué. Un groupe de soldats portant des mitraillettes les croise sans les interpeller. Peut-être étaient-ils en route pour une autre mission? Peut-être n'avaient-ils pas reçu l'ordre d'arrêter les Hmongs en fuite?

Tsi a repéré un endroit assez bien abrité tout près du Mékong. Meng regarde: de l'autre côté, c'est la Thaïlande et le camp de Nong Kai. Mais l'autre rive ressemble en tout à la rive sur laquelle il est. En fait, tout est si semblable qu'il se demande si les risques énormes de la traversée valent la peine. Kang Mo ne tremble plus, mais ses blessures la font souffrir. Elle reste accrochée à la main de son frère sans rien dire.

«Va-t-elle pouvoir y arriver?» pense Meng. «Combien de temps nous faudra- t-il? Les soldats tirent-ils sur tout ce qui bouge? Et les passeurs? Peut-on leur faire confiance? Quelle impression cela fait-il d'être transporté sur un bateau? On doit se sentir comme un moustique flottant sur une marmite d'eau. Je les ai vus souvent tourner et se retourner, vrombissant, essayant de remuer leurs ailes collées. J'en ai écrasé des centaines d'une chiquenaude. Maintenant c'est Kang Mo et moi, et des tas d'autres, qui serons comme des moustiques à la surface de cette eau. Et dans la nuit. Sans savoir où l'on est. Et sans savoir où l'on arrive. Et après ? Qu'adviendra-t-il ? »

*
**

Le soleil penche. Puis le soleil s'incline soudain. Puis il ne reste de jour qu'une corne de bœuf. Le soleil se couche. C'est le crépuscule, et le soir. Les berges du fleuve semblent désertées.

Presque minuit. Meng attend. Çà et là des bruissements, des chuintements. Des tapes sur l'eau. Il entend des pas et des voix. Puis un bateau s'approche lentement.

Meng et son père sont près de la berge. Tsi hèle le passeur :

— Par ici ! Par ici !

Le bateau ralentit puis s'arrête.

— Combien ça coûte de traverser ? demande Tsi.

— 50 000 kips par personne.

— Pas moins ?

— C'est le prix. Les Thaïlandais ne veulent pas des Hmongs. Si le prix ne te plaît pas, reste au Laos.

— Mais on nous a dit qu'en Thaïlande on nous recevrait !

— La même histoire chaque nuit. Les gens de Thaïlande n'ont pas besoin de vous. As-tu des bijoux ?

Alors Tsi dit :

— Non, je ne te donnerai pas mes bijoux. Est-ce que tu nous ferais passer pour 80 000 kips, nous sommes sept.

Meng est effaré : 80 000 kips ! C'est le prix de deux buffles. L'argent de toute l'année.

— Aucune chance, dit le passeur. Reste dans ton pays ou traverse à la nage. J'ai des sacs en plastique. Pour 90 000 kips, je t'en donne cinq.

— Donne-les-nous, dit Tsi.

— Donne-moi ton argent.

— Voilà mon argent.

— Voilà tes sacs.

Puis le passeur s'éloigne en ricanant : « C'est une très bonne affaire. »

Meng ne comprend pas comment son père qui achète et vend avec prudence vient de donner 90 000 kips pour cinq sacs.

Tsi revient vers Niam. Il lui met la main sur l'épaule:

— Je viens de perdre tout mon argent et celui de Han Thao. Mais on a cinq sacs. Demain, je construirai un radeau. On gonflera les sacs et on les accrochera au radeau.

— Si le radeau craque, ça fait cinq sacs pour sept, dit Niam.

— Pao sera sur ton dos. Yong, avec moi.

— Peut-être le radeau de Papa sera-t-il assez solide, et on n'aura pas besoin des sacs, dit Meng.

— Allez tâche de dormir, bonhomme. Demain, tu auras besoin de toute ta force.

— Je dormirai, si tu dors.

— Dors. Moi, je veille. Han Thao et moi, on dormira à tour de rôle.

Pendant la nuit, il s'est mis de nouveau à pleuvoir. Et Meng, qui n'arrive pas à dormir, pense avec angoisse aux eaux boueuses du Mékong qui gonflent d'heure en heure. Il faudra au moins deux jours pour construire le radeau.

*
**

Ce matin, il ne pleut plus. Meng s'approche de Kang Mo. Mais ses blessures la font souffrir. Elle a de nouveau la fièvre. Ses vêtements mouillés collent contre son corps. Et Yong gémit, à côté, la peau boursouflée de piqûres d'insectes. Au village, Niam connaissait toutes sortes de plantes qui l'auraient guérie. Et puis il y avait le médecin-sorcier pour donner des conseils. Mais ici, elle n'ose rien utiliser. Elle évente doucement le petit corps frémissant avec une feuille d'arbuste.

«Pourvu qu'il reste assez de force à Papa», pense Meng.

*
**

Avec son père et Han Thao, Meng va chercher des troncs de bambous et de bananiers. En les coupant, Tsi s'est ouvert profondément la main. Il saigne. Il déchire un morceau de sa chemise et entoure la blessure.

Près de la rivière, deux buffles sont venus boire.

— Si tu essayais d'en tuer un ? demande Meng à son père.

— Il ne faut pas se faire repérer, alors que l'on est si prêt du but.

Meng a trouvé des fruits aux grappes violettes. Il les connaît bien, et en rapporte une pleine marmite. Il en offre à Kang Mo :

— Mange, ça te donnera du courage pour la traversée du Mékong. Et cela fera partir le fantôme qui te donne la fièvre.

Mais Kang Mo ne comprend plus quand on lui parle, elle ne sourit plus, et regarde, hébétée.

Meng et son père ont rassemblé les troncs de bois coupés.

Puis c'est de nouveau la nuit.

« Si les soldats veulent nous tuer avant que nous traversions le fleuve, si les ancêtres ne veulent pas que les Hmongs quittent leur pays, ce qui doit arriver arrivera, que je dorme ou non, se dit Meng. Il vaut mieux que je me repose. Demain le radeau de Papa sera prêt, et demain à minuit, nous traverserons le Mékong. »

Et Meng finit par s'endormir.

*
**

Meng et Han Thao mettent les troncs les uns à côté des autres. Tsi les attache avec des lianes. Puis tous trois gonflent d'air les sacs achetés au passeur et les accrochent au radeau. Tsi va choisir un tronc mince qui servira de perche. Ni lui ni Han Thao n'ont jamais conduit d'embarcation. Quand ils pêchaient, c'était sur le bord des rivières avec des nasses. La nuit de leur arrivée sur les bords du Mékong, Tsi a regardé comment faisaient les passeurs. Et il essaie de retrouver dans son corps le rythme de leurs bras. Mais saura-t-il faire cela quand son radeau sera sur l'eau?

À la fin de la journée, Niam refait le paquet de vêtements et de bijoux. Han Thao vérifie que son sac de riz est bien fermé. Et tous attendent la nuit avec angoisse.

Il ne pleut pas. Le soleil a disparu. La nuit est presque complètement noire avec un petit coup d'ongle de lune.

Tsi pousse le radeau tout près de la rivière. Il installe dessus Niam et Pao. Meng s'assied près de Kang Mo qu'il serre contre lui. Tsi maintient le bateau immobile pendant que Han Thao grimpe avec Yong. Enfin, lui-même saute, et d'un grand coup de perche, il repousse l'embarcation du rivage.

Aussitôt le Mékong les emporte. Meng est terrifié : le radeau glisse dans la direction du courant alors qu'il faut le couper. Son père va-t-il avoir assez de force pour manœuvrer la perche ?

Au moment où Tsi redresse le radeau, Meng entend un craquement : un des liens vient de céder. Les troncs commencent à se desserrer. Han Thao met Yong dans les bras de Meng. Il attrape la perche avec Tsi. Mais le radeau continue à dériver. Meng entend des cris horrifiés venus d'autres embarcations toutes aussi précaires. Puis cinq coups de fusil. Un hurlement.

Tsi ne sait plus maintenant dans quelle direction aller : les deux berges du Mékong sont complètement identiques. Un autre claquement bref. Meng bloque les bras de Kang Mo autour d'un sac. Tsi attrape Yong. Le

dernier lien cède, et les troncs s'ouvrent en éventail.

À côté de Meng qui flotte, agrippé à son sac, des gens sur un bateau lui crient :

— Mets-toi à plat ! Accroche-toi à notre bateau !

Meng ne sait plus ce qu'il doit faire. Où sont les autres ? Son père les a-t-il conduits jusqu'ici pour qu'ils disparaissent d'un coup dans la nuit ?

— Cramponnez-vous à vos sacs ! Tapez des pieds ! crient des voix.

Pendant trois quarts d'heure, ils ont lutté contre le courant dans le sillage du bateau, accrochés à leurs sacs.

Une main agrippe Meng et le tire sur un bateau. Mais il ne sait plus où il est ni où il va. Il appelle Tsi et Niam. Mais personne ne lui répond.

Plus loin, Tsi maintient le corps de Yong contre le sien, mais ses forces lui échappent. Des bras se tendent. Est-ce qu'ils ont bien attrapé Yong ? Puis Tsi ne pense plus à rien, ni à personne. Il tape désespérément des pieds, s'agrippe à cette main qui s'est tendue. Et il ne pense plus qu'à sa vie à lui. Lui qui a travaillé pour toute sa famille, qui a pris la décision de partir pour la sauver, Tsi Xiong ne pense qu'à sauver sa vie à lui, avec toute l'énergie qu'il lui reste.

*
**

Meng s'est retrouvé sur la rive sans savoir comment. Il a dans les bras et les jambes un tremblement qu'il n'arrive pas à contrôler.

Tout à coup, il entend la voix de Han Thao:

— Tsi Xiong! Par ici! Par ici!

Meng se met à courir. Tsi est là, et Yong et Niam. Meng tape ses mains l'une dans l'autre. Il se frappe les côtes. Il saute de joie. Il est vivant. Il embrasse Tsi et Niam. Mais sur le dos de Niam, la jolie hotte brodée pend. Le bébé Pao n'est plus qu'une masse de chair enfouie au fond de la hotte: il s'est noyé sur le dos de sa mère.

Alors Meng pense soudain à Kang Mo, sa petite sœur qu'il aime bien. Où est-elle?

— Restez ici avec Han Thao, dit Meng.

Je vais marcher le long de la rive pour chercher Kang Mo.

— Les soldats… le Mékong… on va te tuer…, balbutie Niam.

— Il n'y a plus de soldats, Maman, nous sommes en Thaïlande, dit Meng avec force.

— Ils vont nous tuer… mes enfants vont mourir… c'est fini, dit Niam en sanglotant.

— Niam. Calme-toi, dit Tsi. Toi, Meng, ne pars pas tout de suite, il fait trop sombre. Tu ne retrouveras pas Kang Mo. Attends que le soleil apparaisse.

Mais Meng est si heureux de se sentir vivant qu'il ne veut pas entendre les cris de sa mère et les conseils de son père. Il marche le long du Mékong. Meng ne veut pas penser que Kang Mo a pu se noyer. Sa petite Kang Mo avec qui il allait chercher des écureuils et des porcs-épics, avec qui il avait fait griller des fourmis et des rats, elle ne peut pas avoir disparu.

Et il demande d'un groupe à l'autre :

— Est-ce que Kang Mo est avec vous ?

Mais les gens ne répondent pas. Les uns

ne savent pas de quel côté de la rive ils se trouvent. Les autres, assis par terre, serrent de toutes leurs forces les sacs gonflés d'air, incapables de sentir le sol, comme s'ils allaient encore s'enfoncer dans l'eau.

Enfin, il arrive près de quatre adultes. Meng repose sa question :

— Est-ce que Kang Mo est avec vous ?

— Est-ce que c'est elle, là ? dit une jeune fille.

Et elle pointe du doigt vers un corps par terre. Meng se met à genoux, et colle son visage contre le petit visage. Oui, c'est Kang Mo. Mais Kang Mo a les yeux fermés et son corps est tout raide. Pourtant cette présence chaude contre son corps la fait frémir. Alors Meng rassemble tout ce qui lui reste de force : cette joie d'être en vie, il voudrait maintenant la donner à Kang Mo. Il la prend dans ses bras. Il l'accroche sur son dos, bloque ses mains autour de son cou, et lentement il refait le chemin en sens inverse.

Meng arrive criant de joie :

— J'ai Kang Mo ! Regardez donc ! J'ai trouvé Kang Mo !

Niam est restée assise, sans lever les

yeux, serrant contre elle le corps de Yong sans rien dire et sans pleurer. Les trop grandes tristesses et les trop grandes peurs ont tué sa joie de voir ses enfants en vie.

Meng ne peut pas comprendre cela et il se fâche :

— Méchante ! Méchante ! Kang Mo aurait pu mourir, et toi tu restes assise ! Méchante ! Viens donc frotter son corps. Kang Mo a froid. Elle a besoin de toi pour la réchauffer.

Mais Niam n'a pas bougé, ni Tsi, ni Han Thao qui, accroupis, regardent, indifférents, Meng qui embrasse le corps de Kang Mo et la serre dans ses bras.

Chapitre 6

Et ils sont restés toute la nuit comme cela. Meng n'a pas voulu s'éloigner de Kang Mo, et lui a tenu la main pendant de longues heures.

Tôt le matin, il s'est remis à pleuvoir. Le Mékong a grossi. Mais cela ne fait rien : la famille Xiong ne pense pas aux autres Hmongs qui sont encore au Laos, ni à ceux qui sont restés dans les montagnes, ni à ceux qui sont brûlés dans les villages, ni à ceux qui sont en marche dans la forêt. Eux sont vivants, sauf le bébé Pao.

Niam a pris son bébé mort dans ses bras, et lui a chuchoté :

— Il y a ici beaucoup de choses qui rampent, l'esprit du tigre a rôdé près de toi, mais maintenant tu es en route pour le ciel, bébé Pao. La route mène vers le royaume d'en haut. Là-bas, il n'y a pas de collines, et pas trop d'eau. Il y a toujours de quoi manger, il n'y a pas de maladie et pas de mort. Le soleil y brille. Les gens n'y travaillent pas et personne ne souffre.

Elle s'est approchée du Mékong et a fait glisser le petit corps dans l'eau :

— Quand tu pleurais près de moi, les chevaux du ciel passaient près de nous ; quand tu étais malade, l'esprit qui attaque tournait autour de nous ; et maintenant que tu es mort, je te redonne au monde des ancêtres. Si eux le veulent, ton âme reviendra sur la terre, et tu seras de nouveau petit garçon ou petite fille. Mais moi je ne le saurai pas.

Puis elle a mis une feuille sur l'eau, en guise d'ombrelle des morts :

— C'est pour te protéger de la pluie et du soleil pendant que tu es en route pour le ciel.

*
**

Kang Mo n'a toujours pas repris connaissance. Meng ne veut pas la lâcher : sa vie à lui passerait petit à petit dans le corps de sa sœur. Et Niam, en pensant à son bébé mort, serre Yong de toutes ses forces dans ses bras.

Il y a encore deux jours de marche pour aller jusqu'à Nong Kai. Tsi voudrait se mettre en route au milieu de la matinée. Ici, il n'y a rien à manger et ils ont faim.

— Si on reste plus longtemps ici, dit Tsi à Han Thao, nous allons pourrir sur place dans cette eau et cette boue. Nous n'avons presque plus de courage. Kang Mo est malade et Yong n'a pas plus de vie que le soleil couchant.

— Et moi, dit Han Thao, j'ai perdu mon sac de riz. Je ne pourrai pas me mettre à planter sur notre nouvelle terre. Je porterai Kang Mo et votre sac. Toi, aide Niam et Yong.

Ils ont marché encore deux jours sans manger, en compagnie de quatre autres familles.

Nong Kai, c'est une toute petite ville, mais

avec le camp de réfugiés la population a quadruplé. En les voyant arriver, les Thaïlandais disaient :

— Encore des Hmongs ! Il n'y a plus de place au camp. Ils pourraient bien rester chez eux. Ils viennent ici pour manger notre riz. Nous n'en avons pas tellement pour nous-mêmes. Et ils n'ont pas d'argent pour nous payer. Qu'ils restent chez eux ou qu'ils s'en aillent vite.

Mais Tsi n'écoute pas et dirige sa famille vers le camp. Ils passent devant une petite usine de matériaux de construction et une usine à pain. Là, des marchands s'occupent de leurs filets à poissons, là on vend des tissus, là, des sauces fortes, là des camions chargés de tapioca passent dans des nuages de poussière, sans regarder la petite troupe.

Tsi ne pense qu'à une chose : trouver un endroit sec pour s'étendre par terre avec sa famille.

*
**

À l'approche du camp, une infirmière du Secours International leur fait signe de la suivre. Meng regarde cette dame qui leur sourit : elle ne leur ressemble pas, elle ne parle pas comme eux, elle n'est pas habillée comme eux.

Meng se dit :

« On nous appelle les barbares, les chats sauvages, mais nous nous appelons les Hmongs, les hommes libres. »

Son père a toujours décidé ce qu'il veut faire et où il veut aller. Mais maintenant tous suivent docilement cette dame. Ils ne sont plus dans leur pays, et ils doivent faire ce qu'on leur dit.

On les emmène dans une grande salle où deux cents personnes sont assises contre les murs ou étendues par terre. Tous ont l'air si épuisés que Meng ne sait pas s'ils somnolent ou s'ils sont morts.

Françoise Luzin, l'infirmière du Secours International, prend Kang Mo et l'enveloppe dans une couverture. Puis elle donne une couverture à chacun : pour le moment ils ont plus besoin de se reposer que de manger. Tsi et Niam remercient, dans leur langue, cette dame qui a l'air fatiguée, elle aussi. Françoise Luzin fait une piqûre à

Kang Mo qui n'a toujours pas ouvert les yeux, depuis le terrible passage de la rivière. Puis elle dit à Niam :

— Quand votre fille se sera reposée quelques jours, elle ira mieux.

Mais bien sûr, Niam ne comprend pas cette langue. Et puis elle est si lasse, qu'elle n'a qu'une envie : dormir.

L'infirmière dit à Niam qu'elle va prendre Kang Mo pour l'emmener à l'hôpital, où l'on pourra lui faire d'autres piqûres contre la fièvre. Mais Niam ne comprend pas, et laisse l'infirmière prendre sa fille dans ses bras.

Meng n'est pas content que quelqu'un qui ne parle pas sa langue et qui ne ressemble en rien aux Hmongs se permette de lui prendre sa sœur.

— C'est Kang Mo. Elle est à moi ! C'est moi qui l'ai retrouvée ! Et si elle est encore en vie, c'est grâce à moi.

Françoise lui passe la main dans les cheveux, car elle comprend que Meng est très fâché :

— Elle ira mieux, tu verras. Dors bien.

Meng ne comprend pas ce que dit Françoise Luzin, et pourquoi s'est-elle permis de lui toucher les cheveux? Mais elle a pris Kang Mo gentiment dans ses bras, presque comme Niam l'aurait fait. Alors Meng dit à Yong:

— Elle nous la ramènera. Nous sommes vivants, tu sais. Tu peux dormir. Kang Mo va guérir.

*
**

Quinze heures plus tard, quand ils se sont réveillés, Françoise Luzin leur a apporté un bol de soupe de riz et de légumes. Au camp, c'est la seule nourriture dont on dispose. Mais tous les réfugiés ont eu si faim, et pendant si longtemps, que leur corps ne supporterait pas une autre nourriture. Cette soupe fait du bien.

Puis ils ont de nouveau dormi. Meng n'avait pas senti jusqu'ici la fatigue et les écorchures de ses pieds, mais maintenant il a mal de partout. Françoise Luzin apporte de l'eau tiède et des médicaments. Tout doucement, elle baigne ses pieds gonflés. Elle enduit ses jambes d'une pommade qui picote et rafraîchit. Niam regarde ce que l'on fait à son fils sans rien dire.

Puis Françoise demande à Tsi de lâcher le paquet de vêtements et de bijoux qu'il tient contre lui, pour qu'elle puisse soigner la main qu'il s'était coupée en préparant le radeau. Mais Tsi s'accroche à son sac, et ne veut pas se laisser soigner par cette dame qu'il ne connaît pas.

— Laisse-la t'aider, dit Niam. Elle soigne Kang Mo et elle vient de soigner Meng. Maintenant nous ne sommes plus chez nous. Il faut accepter.

Tsi donne le paquet à Niam et tend sa main à Françoise qui la lave et la bande.

Elle lui demande aussi de prendre un médicament pour limiter les risques d'infection. Tsi accepte et remercie.

Ils sont restés toute la journée dans cette grande salle sans bouger, troupeau de gens fatigués et hagards, qui ne savent pas très bien où ils sont, ni où ils vont, ni ce que l'on fera d'eux.

*
**

Le lendemain, l'infirmière est de nouveau venue vers eux, et les a emmenés dans une petite maison de bois, où quatre autres familles sont installées.

Devant la maison, il y a un égout ouvert qui sent mauvais. Ils l'enjambent par une passerelle de troncs de bambou. À côté, trois vieillards sont assis sur un banc, une planche sur deux pierres.

— Bienvenue à Nong Kai. Il y a tant de monde ici que nous l'avons baptisé le petit Vientiane.

— Cela fait longtemps que vous êtes ici ? demande Tsi.

— Cela fait cinq lunes, et je mourrai ici. Mon fils, sa femme, leurs enfants et mes neveux vont bientôt partir. Ils ont eu leur passeport et les enfants apprennent à écrire. Mais il n'y a pas assez d'argent pour m'emmener aussi. J'attends. Et qu'est-ce que j'irais faire ailleurs ?

Et il soulève les jambes de son pantalon. Le vieux monsieur n'avait plus de pieds. Il dit en riant :

— Ils avaient trop marché. On a été obligé de les couper tous les deux. Mais le reste est encore solide. Où voulez-vous que j'aille pourtant? J'ai deux bouts de bois pour sautiller dans le camp. Mais je ne peux pas sautiller jusqu'en France ou en Amérique! J'arriverais là-bas quand j'aurais deux mille lunes. Même un Hmong de la montagne qui est encore courageux ne peut pas vivre aussi longtemps! Et toi, qui es-tu?

— Je suis Tsi Xiong. Voilà ma femme. Mon fils, Meng. J'ai deux filles. Nous avions un bébé, mais il est mort en traversant le Mékong. Et nous sommes ici avec Han Thao. Les soldats ont tué sa femme et ses enfants.

— La guerre est mauvaise pour tout le monde, et le Mékong ne nous aide pas beaucoup. Bienvenue ici. Mais que tes ancêtres te conduisent hors de ce camp. Ici, on nous donne à manger. On nous laisse dormir. Mais on ne travaille pas, et on n'a pas de maison à nous. Et puis les Thaïlandais ne sont pas contents d'avoir toutes ces bouches à nourrir. Quand tu seras installé, nous irons dans la maison d'à côté. On leur a prêté une machine sur laquelle on entend la voix des Hmongs qui sont en France, en

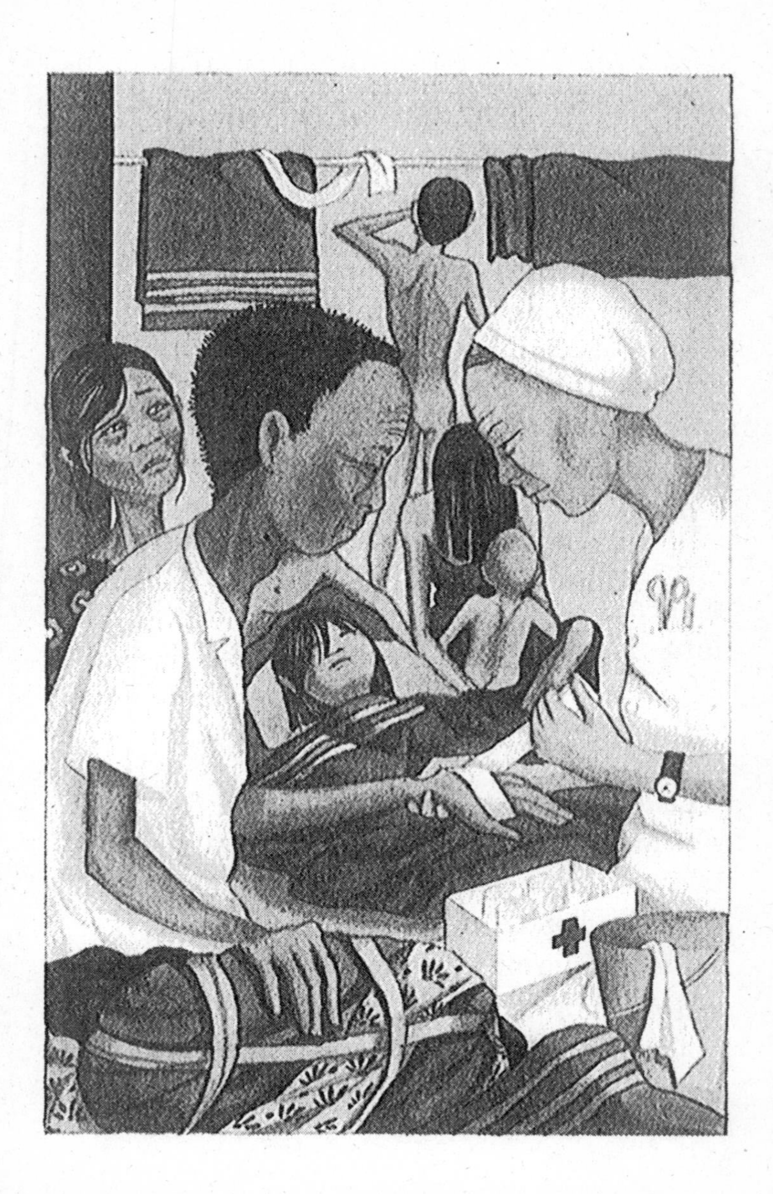

Amérique et en Guyane. Tu sauras comment ils vivent là-bas. Et puis tu auras peut-être des passeports pour toi et ta famille, et tu pourras t'en aller aussi. Toi, Tsi Xiong, tu es jeune, tu as des enfants, il faut partir travailler ailleurs. Tu sais bien: «Dans le royaume d'en haut, il n'y a pas de maladie et les gens ne travaillent pas», mais ça ce sont les paroles pour les morts. Ici, sur la terre, on veut travailler ou on se sent inutile.

Puis il ajoute:

— Bien sûr, avec mes deux pieds coupés, je serais aussi bien dans le royaume d'en haut. Mais toi, Tsi Xiong, courage!

*
**

Le soir, Françoise Luzin a rapporté Kang Mo. Meng commence à ne plus avoir peur de cette dame qui, à plusieurs reprises, s'est occupée d'eux.

— Elle va mieux. Je ne veux pas qu'elle reste à l'hôpital. Il y a des tas d'enfants avec des maladies contagieuses. Elle sera mieux avec vous.

Niam n'a pas compris. Mais Kang Mo sourit :

— Je suis vivante.

Puis elle dit à Meng :

— Il y a trois enfants qui sont morts à côté de moi. J'ai de la chance, moi !

Niam l'a embrassée bien fort. Maintenant, ses enfants près d'elle, Niam sent aussi qu'il fait bon être en vie.

*
**

Deux jours plus tard un interprète qui parle hmong, thaï et français est venu vers eux :

— Tsi Xiong, dit-il, dès que tes enfants seront reposés, toi et eux irez à la petite école. Tu ne pourras pas rester toujours à Nong Kai. Dès que tu auras ton passeport, tu iras soit en France, soit en Amérique, soit en Guyane, et là-bas tu auras besoin de savoir lire et écrire. Si ta femme a le courage de se mettre à broder, va lui acheter du fil et du tissu. Elle pourra vendre son travail aux gens de Nong Kai. Cela vous fera un peu d'argent. Et puis tu devrais vendre un de tes bijoux pour avoir de quoi payer ton billet pour l'avion. Nous avons un peu d'argent que nous distribuons aux Hmongs qui partent, mais nous n'en avons pas beaucoup. Si tu as de l'argent, ton départ sera plus facile et plus rapide. Bon courage ! Il nous en faut à tous. La traversée que tu as faite a été dure pour ton corps. Mais ton corps est fort. Le pays où vous irez sera si différent de vos montagnes du Laos que vos âmes et vos corps ne sauront plus où ils sont, et vous ne saurez plus ce qu'il faut craindre, ce qu'il faut haïr et ce qu'il faut aimer.

Tsi écoute avec beaucoup d'attention tout ce que l'interprète a expliqué :

— J'irai voir ce que sont ces passeports. Merci de tes bonnes paroles.

(Tsi n'a pas vraiment dit « passeport » mais « passpo » : c'est le premier mot qu'il doit prononcer aussi bien qu'il l'a entendu. Il a dit « passpo », parce que dans sa langue à lui, il n'y a pas de consonnes à la fin des mots. On ne peut ni entendre, ni répéter du premier coup les sons d'une langue étrangère qui n'existent pas dans sa propre langue.)

Tsi a parlé avec Niam de tout ce que l'interprète a dit :

— Vends mes boucles d'oreilles en argent, propose Niam. Achète-moi du tissu, je broderai. Et si nous n'avons pas encore assez d'argent, je vendrai mon bracelet. À Nong Kai, tu ne trouveras jamais de vrai travail. J'ai entendu tout à l'heure, sur la machine où l'on entend parler, des Hmongs qui sont en France. Ils ont dit qu'ils avaient trouvé du travail. Le père fait des meubles dans une usine. Les enfants vont en classe. La mère travaille dans un magasin de pain. Ils pensent au Laos, à notre pays. Ils sont tristes d'être si loin, mais ils ont dit : « Nous avons retrouvé le courage des Hmongs, et nous sommes fiers. »

Tsi est allé, emmenant Meng, chercher des renseignements pour les passeports. Cinquante personnes attendaient. Mais Tsi Xiong sait attendre : attendre la pluie quand on a planté le riz, attendre que le soleil mûrisse le riz, attendre sans avoir assez à manger, attendre de guérir quand on est malade. Ici, pourtant, il faut attendre sans savoir exactement ce que l'on attend: et c'est cela qui est difficile.

Meng a faim: il sait qu'il ne peut pas redemander un bol de riz et de légumes avant l'heure. Et il rêve au grand jour du Nouvel An où l'on tue des poulets, des cochons, des buffles, et où l'on mange autant que l'on peut manger.

Dans le bureau, un officier de l'administration thaïlandaise qui parle un peu le hmong pose des tas de questions à Tsi:

— Est-ce que tu connais des gens en France?

— Non.

— Est-ce que tu as de l'argent?

— Pas beaucoup.

— Est-ce que tu connais des gens en Amérique?

— Non.

— Est-ce que tu sais lire?

— Non.

— Et tes enfants?

— Non plus.

— Est-ce que tu es malade?

— Non, et je peux travailler, dit Tsi avec empressement. Et si je dois travailler à des choses que je ne connais pas, je peux apprendre.

— Et moi aussi, dit Meng.

— Et ma femme fait les plus belles broderies du village.

— Ah? répond l'officier d'un air distrait. Est-ce qu'il y a des vieux parents avec toi?

— Ils sont au pays des ancêtres.

— Ça vaut mieux pour toi, répond l'officier. Quand il y a des vieux parents ça n'arrange jamais les affaires pour vous faire partir d'ici.

Puis il demande à Tsi le nom et l'âge de tous les membres de sa famille.

L'âge, c'est difficile de le savoir exactement. Chez les Hmongs, le début de l'année n'est pas un jour fixe : quand le riz est récolté, le village décide que l'on célébrera le Nouvel An, et que l'on commencera une autre année. Alors quel âge ont-ils, lui et ses enfants?

Tsi répond en hésitant :

— Moi j'ai à peu près cent vingt lunes, peut-être cent trente...

L'officier thaïlandais éclate de rire :

— Quand tu seras en France ou en

Amérique, il faudra savoir compter mieux que ça !

Meng voudrait pouvoir expliquer que savoir son âge ne sert pas à grand-chose. Tsi ne sait pas quoi répondre. Avec prudence et sagesse, il pense que ce Thaïlandais qui parle mal sa langue ne comprendrait pas grand-chose au calendrier des Hmongs, et qu'il vaut mieux ne rien répondre.

— Revenez dans un mois pour vos passeports, dit brusquement l'officier.

Meng sourit en silence : un mois de France, d'Amérique, ou une lune des Hmongs, ce n'est sans doute pas la même chose.

— Je demanderai à la dame du Secours International de me dire quand ce sera un mois, dit simplement Tsi.

— Il faudra attendre ! dit l'officier.

— Je sais ce que c'est d'attendre.

*
**

Aujourd'hui Han Thao est heureux : une famille hmong vient de lui donner un sac de riz en disant :

— Tu iras le planter dans une nouvelle terre. C'est du riz de Pha Mone, le plus beau, tu le récolteras et tu feras grandir la communauté des Hmongs de Guyane.

En effet, Han Thao a reçu son passeport pour partir en Guyane rejoindre la communauté de cinq cents Hmongs qui habitent là-bas.

— Tu nous donneras de tes nouvelles, dit Tsi. Sois heureux, et fort et libre.

— Et toi, Tsi Xiong, je ne t'oublierai pas. Tu m'as réconforté, tu m'as nourri. Nous nous sommes aidés pendant le voyage, non, je ne t'oublierai pas, toi et ta femme. Quant à toi, Meng, rappelle-toi en grandissant que tu es un Hmong, un homme libre.

*
**

Tous les mois, pendant huit mois, Tsi est venu voir pour les passeports.

Chaque fois on lui a répondu :

— La France a limité le nombre des émigrés qu'elle recevrait. On n'accepte pas les Hmongs qui n'ont pas de famille là-bas. L'Amérique a promis de recevoir cent cinquante personnes le mois prochain, mais il faut attendre. À quoi sers-tu ? Tu ne sais ni lire ni écrire. Et tu restes ici, et tu manges le riz de la Thaïlande. On ne sait plus où vous mettre, vous autres du Cambodge et du Laos, vous avez envahi notre pays. Vous auriez mieux fait de rester où vous étiez. De toute façon, on ne te verra plus longtemps par là, dans quelques semaines on va tous vous transporter à Ban Vinai.

Et pendant huit mois, Meng, Kang Mo sont allés à la petite école.

On y apprend un peu de français et d'anglais, mais Tsi ne peut pas comprendre comment ces signes, les lettres, font des sons. Il a appris à tracer son nom, et c'est tout. Lentement, en s'appliquant, il arrive maintenant à tenir un crayon dans ses doigts qui se sentent raides et maladroits. Il connaît le petit dessin pour son nom XIONG, et il sait que pour les gens qui savent lire, cela veut dire lui, Tsi Xiong. Quelquefois, cela lui donne envie de rire : comment les gens peuvent-ils le reconnaître,

Xiong
Mong
MENG
meng

lui, en voyant ce petit dessin? Quelquefois il se décourage: les mots ne veulent vraiment rien dire.

Par contre Meng et Kang Mo s'amusent bien. Pour Meng, écrire est une chose tout à fait extraordinaire: il trouve très belles les formes des lettres qu'il trace et retrace avec soin en les faisant longues, petites, minces, grosses. Même avec des formes différentes, le M de son nom reste la même lettre. C'est vraiment étonnant. Et chacun de ces dessins a un nom. Ça c'est plus compliqué. Les noms ne sont pas les mêmes en français et en anglais. Il a appris les deux noms pour chaque lettre, pas très bien, parce que certains sont impossibles à prononcer. Kang Mo et lui savent compter jusqu'à dix. Ils s'amusent à se dire:

«Ça va? Ça va bien? Ça va? Ça va bien, merci. How are you? I'm fine. How are you? I'm fine, thank you.»

Dans le camp, Meng a trouvé quelque chose de très drôle: des élastiques. Il avait perdu son arbalète en traversant le Mékong, mais avec un élastique, il s'est fait un lance-pierres. Il a montré à Kang Mo comment l'utiliser : contre un mur, il met des capsules de Coca-Cola et s'amuse à les faire tomber en disant :

— Celle-ci, c'est un écureuil, celle-ci c'est un porc-épic, celle-ci c'est un rat.

— Celle-ci, c'est un tigre ! dit Kang Mo en riant.

— Idiote ! dit Meng, un tigre c'est quand même plus difficile à attraper que ça.

— Est-ce que tu as déjà tué un tigre, Meng ?

— Tu sais bien que non.

— Bon, eh bien moi j'ai le droit de dire que ça c'est un tigre. Et mon tigre, je viens de le tuer toute seule, sans toi.

Meng a aussi taillé deux petites toupies de bois qui marchent très bien, et il fait des concours avec Kang Mo pour savoir la toupie qui tournera le plus longtemps.

Quant à Niam, elle brode toute la journée. Elle n'a jamais fait d'aussi jolis dessins, et mêlé les couleurs dans des rythmes aussi compliqués. Elle a déjà vendu beaucoup de ses broderies. Et tard dans la nuit, Tsi lui dit :

— Repose-toi, Niam.

— L'argent que je peux gagner sera utile pour le départ.

Et courageusement, treize heures par jour, elle brode.

Chapitre 7

Un matin, l'officier thaïlandais dit à Tsi :

— Va faire des photos de passeports pour ta famille. Vous partez dans trois jours.

— Est-ce que Niam a gagné assez d'argent avec ses broderies ?

— Ce n'est pas ton argent qui pourrait te payer des places dans un avion !

— Mais c'est magnifique, ce qu'elle fait.

— Tu as des choses à apprendre, mon pauvre Xiong ! Vous partez dans trois jours, j'ai reçu des ordres.

Tsi a peur. Presque aussi peur que lorsqu'il a commencé à traverser le Mékong. Et il court en tremblant pour annoncer la nouvelle à Niam.

Partir. Quitter le Laos. La Thaïlande. Mais Niam dit :

— Il y a des Hmongs en France, ils sont vivants, ils ont du travail. Nous aussi nous pouvons partir.

Le jour du départ, Niam et Tsi ont refait leur paquet de vêtements et de bijoux. Tsi porte précieusement les passeports contre lui. Françoise Luzin leur a dit de garder avec eux les couvertures car ils en auront besoin dans l'avion. Meng a emporté ses toupies, son lance-pierres et son crayon. Mais il n'a pas envie de jouer avec Kang Mo : son père a le même visage angoissé que le jour où ils ont quitté leur village.

« Pourvu que Papa ne soit pas trop malheureux », pense Meng.

L'avion est là. Un grand avion blanc et argent avec des lettres rouges énormes. Meng lit dessus : F-R-A-N-C-E. En compagnie d'autres familles, ils montent sur les marches qui semblent trop hautes.

— On dirait une grande maison, dit Kang Mo.

— Ce n'est pas une maison, ça vole, c'est un avion, dit Meng.

— C'est comme une maison, là. Et si les soldats nous voient là-dedans et nous tirent dessus ?

— Les soldats ne sont pas ici.

— Pas sûr, répond Kang Mo.

On dit aux enfants de s'asseoir par terre, et de s'enrouler dans leur couverture. Meng voudrait bien regarder par la fenêtre. Mais il y a des grandes personnes sur les sièges, et il ne voit rien du tout. À côté de lui, un petit garçon pleure.

— Qu'est-ce que tu as ? demande Meng.

— On ne peut pas emmener mes grands-parents et ma sœur, nous on s'en va, et eux ils restent.

— Pourquoi ?

— Parce qu'on n'a pas voulu leur donner un passeport.

Meng se dit : « On est tous ensemble, sauf le bébé Pao. On a de la chance. »

Quand l'avion a décollé dans un grand bruit de moteur, il dit à Kang Mo en français :

— Ça va?

— Ça va bien, merci, just fine, thank you, how are you? répond Kang Mo.

Et Tsi dit à Niam:

— Pourvu que les soldats ne découvrent jamais l'autel des ancêtres, ils le brûleraient.

— Les ancêtres reposent dans notre village, et nous on part en France, répond Niam.

*
**

Pendant le long voyage, Meng se pose des questions sans réponse. Comment va-t-on vivre en France? Est-ce que les Français vont nous parler? Est-ce qu'on va aller en classe? Est-ce que Papa aura du travail? Est-ce qu'on aura une maison? Est-ce qu'on restera ensemble? Est-ce qu'on va revoir les Hmongs qu'on a entendus sur les machines?

Meng voudrait bien voir à quoi ressemble la terre quand on est un oiseau. Cela aurait été une bonne occasion de savoir comment les milans et les éperviers voient là-haut dans le ciel. Mais il est coincé au milieu de l'avion. Par le hublot on voit des bouts de ciel avec un peu de brume blanche. Et c'est tout.

*
**

Puis il entend : France. Paris.

L'avion descend lentement. La carlingue vibre. Il a mal aux oreilles. Et quelques minutes plus tard, dans un grand bruit de moteur, les roues tapent sur la piste d'atterrissage. Autant de bruits et d'impressions étranges qu'il n'a jamais ressentis.

La porte de l'avion s'ouvre. Deux dames du comité d'entraide franco-laotien sont venues les attendre à l'aéroport de Roissy.

Mais il y a tant de choses à voir que ces deux visages qui sourient n'arrivent pas à retenir l'attention de Meng. Il regarde, regarde. Tout lui paraît étrange : il ne reconnaît presque rien. Il ne comprend pas ce qui se passe autour de lui, ni ce qui lui arrive. Des lumières. Une foule de gens. Des avions qui décollent et arrivent. Des camionnettes qui transportent des bagages. Des routes. Des signaux. Des voix que l'on ne comprend pas. Et de partout des voitures et des voitures.

*
**

On a conduit la petite troupe des Hmongs au centre de transit de Créteil. Chacun a un lit avec des draps frais, un bol de soupe, du poulet et de la compote de pommes. Tsi et Niam se serrent l'un contre l'autre, Yong dans leurs bras.

Meng et Kang Mo regardent sans pouvoir se parler, comme si leur voix à eux, leur langage à eux n'avaient rien à voir avec ce qui les entoure.

Niam a touché les draps et, en dame qui sait broder, trouve que c'est du beau tissu, mais comme c'est bizarre que l'on se couche là-dedans ! Tsi tâte discrètement les objets comme pour les apprivoiser.

Meng a sorti son lance-pierres, et finit par murmurer à Kang Mo :

— Tu as vu toutes les voitures dehors ?

— Oui, j'ai vu, répond Kang Mo tout doucement. Tu les attraperais bien avec ton lance-pierres, hein ? On a envie de se mettre au milieu des routes pour dire : arrêtez-vous ! Comment voulez-vous que les gens puissent passer avec toutes ces voitures ?

— Chut !

— Ils ne comprennent rien, je peux bien dire ce que je veux.

— On n'est pas chez nous ici.

— Mais moi j'ai besoin de te parler.

Au centre de Créteil, on a vacciné tous les arrivants pour être sûr qu'ils n'apportent pas de maladies du Laos. Puis un Hmong qui parle un peu le français et qui sert d'interprète leur dit qu'ils partiront dans quatre jours pour une autre ville. Elle s'appelle Limoges. Ils iront dans un centre d'hébergement. Là, on leur apprendra le français et l'on essaiera de trouver un travail pour Tsi Xiong. Quand Tsi aura du travail, on tâchera de leur trouver un appartement.

*
**

Ils sont allés en train de Paris à Limoges.

Meng aurait envie de marcher lentement dans la montagne, avec son père et sa mère, pour aller vers leur champ: tout va beaucoup trop vite ici. Quand on est habitué à se déplacer à pied, on a le temps de voir les choses. Ici, il est transporté d'un endroit à l'autre sans pouvoir s'arrêter pour comprendre et voir ce qui se passe. Il se sent devenir trop léger, plus léger qu'une paille de riz transportée par le vent ou un moustique à la surface de l'eau. Il voudrait sentir le sol sous ses pas, pas à pas. Il a de nouveau la même impression qu'en traversant le Mékong. Quelque chose l'emmenait à la dérive et il n'y avait rien pour s'accrocher. Et il est pris du même tremblement incontrôlable dans les bras et les jambes.

*
**

Limoges.

De la gare, on les emmène jusqu'au centre d'hébergement. «Quand ces gens marchent-ils?» pense Meng. «Comment peuvent-ils voir en allant si vite?»

Et il comprend enfin ce que veut dire: quitter son pays. Tout ce qu'il sait et tout ce qu'il sait faire est désormais inutile. Il n'y a rien, absolument rien de connu, ici.

Il faut tout apprendre: à se servir d'une douche, à utiliser un mouchoir, une fourchette, à ne pas se perdre dans les salles du centre. Les gens sont gentils. Ils lui parlent. Ils lui sourient. Mais Meng n'ose pas les regarder en face. Un jeune Hmong doit se tenir avec beaucoup de respect en face d'un adulte. Meng baisse la tête quand on lui parle. On lui soulève le menton. Meng a horreur de ça. Qui donne à ces gens le droit de le toucher? Mais ils sont des adultes et il accepte en silence.

Pour avoir prise sur tous les objets qui l'entourent, Meng le comprend, il doit apprendre le français. Et il travaille avec toute son énergie et sa force.

Anne Cluzeau est le professeur de français. Elle est très calme et patiente. Pendant des heures et des heures, Meng essaie de reproduire les sons. Il tord sa langue et ses lèvres, et le: «X», ces lettres comme le «P» et le «B», le «D» et le «T» qui n'ont pas le même son quand on parle français, mais qui semblent exactement pareilles pour un Hmong.

Anne dit «Xiong». Mais ça n'a vraiment rien à voir avec Xiong comme on le dit en hmong. Men-G Xiong: c'est donc lui en français.

Kang Mo répète aussi, mais ça l'agace, et elle ne comprend pas pourquoi elle doit apprendre le français.

— C'est moi qui vais lui faire répéter. Tu entends comme elle dit nos noms: Men-G, Kan-G Mo. C'est pas comme ça qu'on dit. Je suis sûre qu'elle n'arrivera jamais à dire nos noms comme il faut.

— Tais-toi, pour le moment c'est nous qui devons apprendre, dit Meng.

— Nous, on répète cent fois.

— Ici, on n'est pas chez nous.

Anne Cluzeau dit:

— Ça c'est une bouteille.

— Boutè.

— Teille.

— Tè.

— Bouteille. Ça c'est un verre. Verre.

— Vè.

— Ver-RE.

— Vè.
— C'est ta sœur.
— Tasseu.
— Sœu-R.
— Sœu.

Et pendant des jours et des jours Meng a répété, parfois découragé, parfois heureux quand Anne avec un grand sourire lui dit : Bravo Men-G.

Quand Anne dit : « Est-ce que tu comprends ? » Meng répond toujours : « oui », car il ne veut pas fâcher un adulte en lui répondant « non ». Mais Anne voudrait savoir si Meng a vraiment compris, quand gêné, et baissant la tête, il dit « oui ».

Un jour, elle trouve la solution :

— Tu me dis « oui-oui » si c'est oui, et « oui-non » si c'est non.

Ça c'est une idée formidable. Oui-non, ce n'est pas grand-chose, mais Meng a beaucoup moins peur d'elle depuis qu'il a appris cela. Il regarde Anne bien droit dans les yeux avec un grand sourire.

*
**

Aujourd'hui c'est dimanche. On est en février. Et il a neigé. Meng, Kang Mo, Niam et Anne Cluzeau sont allés dans la ville.

— C'est de la neige, dit Anne.

— Nè, dit Meng.

— Nei-GE.

— Neige.

— Oui, Meng, neige, bravo!

Meng a froid, mais c'est calme et il n'y a pas beaucoup de voitures. Ils marchent lentement les uns derrière les autres, en suivant Anne. Marcher les uns derrière les autres, comme ils le faisaient dans les chemins de leur montagne. Meng se baisse, ramasse un peu de neige et la met dans la main d'Anne:

— Pour toi, dit Meng.

— C'est froid, hein? dit Anne.

Meng plisse les yeux et dit lentement en s'appliquant:

— La neige est jolie.

— Oui, très jolie, Meng.

*
**

Meng et Kang Mo n'avaient jamais vu de

livres : les images et les mots qu'ils commencent à comprendre les émerveillent. Ils aiment surtout les contes de fées.

— Regarde cette princesse avec des cheveux blonds et cette table avec tous les poulets et les rôtis, c'est comme la fête du jour de l'an, dit Kang Mo.

— Et les sorcières, c'est comme l'esprit à l'odeur infecte et l'esprit du tigre, dit Meng.

Et puis la télévision ! Meng a la même impression en regardant la télévision que dans le train. Il y a des tas de choses qui apparaissent devant les yeux, mais des choses que l'on ne peut pas toucher et attraper. Les dessins animés lui semblent très drôles : des gens et des bêtes qui ne sont pas des gens ni des bêtes, et qui sautent de tous les côtés comme des élastiques de lance-pierres.

*
**

Tsi et Niam, eux aussi, ont commencé à apprivoiser les objets de France. Mais comme c'est difficile de se retrouver petits enfants quand on a été père et mère de famille !

Tsi apprend le métier de menuisier avec patience et application. Il reconnaît les chiffres. Meng l'aide pour la lecture, lui explique comment chaque lettre ou groupe de lettres font un son. Lire est une chose affreusement difficile.

Véronique Truchassou, une dame du centre, a montré à Niam la nourriture dans les magasins, comment reconnaître ce qu'elle veut acheter, comment se servir des casseroles, d'un four, d'un réfrigérateur.

Niam fait maintenant le repas du soir pour sa famille et cela la rend heureuse. Comme c'est pratique de ne pas avoir à décortiquer le riz ! Pourtant vider le riz d'un paquet, cela va trop vite. Elle le fait cuire à la vapeur comme dans son village. Et elle se réjouit de pouvoir préparer de la viande plusieurs fois par semaine pour sa famille.

Niam s'est remise à broder. Anne Cluzeau et Véronique Truchassou la regardent : sans repère, sans règle, elle trace des dessins aux géométries compliquées avec une sûreté parfaite.

Meng, qui ne s'est jamais occupé de la couture de sa mère – c'est le travail des femmes –, Meng est fier et heureux. Niam coud ici en France comme au Laos. Ce qu'elle savait faire là-bas, elle le fait ici, et les Français trouvent ses broderies magnifiques.

Anne a demandé à Niam de lui faire un couvre-lit :

— Je veux vous payer, Niam. Vous travaillez et vous aurez besoin d'argent. Ce que vous faites, personne ne sait le faire ici.

Niam sourit : c'est elle qui par son travail a gagné le premier argent en France.

*
**

Et Tsi a hâte de pouvoir travailler aussi. À Cluny, en Saône-et-Loire, on lui a dit qu'il y a une place dans une usine de meubles.

Ils sont partis en compagnie d'une autre famille hmong, avec qui ils partageront les frais de l'appartement.

C'est le mois de septembre et la rentrée des classes. Meng a de nouveau peur, peur comme lorsqu'il est parti de San Luong, peur

comme lorsqu'il a traversé le Mékong. Kang Mo ne va pas être avec lui. On les a mis dans des classes différentes. Meng est à son bureau, en compagnie d'enfants beaucoup plus jeunes que lui et qui savent tous lire et écrire. La maîtresse lui dit bonjour, mais elle a toute sa classe. Elle n'a guère le temps de s'asseoir près de Meng, de lui demander d'où il vient, qui il est, de s'inquiéter s'il a bien compris, de le faire lire à haute voix en lui faisant répéter les mots comme il faut. Meng regarde comment font les autres, il écoute, et il s'applique.

À la récréation, un petit garçon vient lui parler :

— Moi je m'appelle Frédéric, et toi, comment tu t'appelles ?

— Meng Xiong.

— Quoi ?

— Meng Xiong.

— C'est un drôle de nom. Pourquoi tu le dis comme ça ?

— Parce que c'est mon nom.

— Allez, viens, on va jouer aux billes. Tu veux voir mes soldats ?

— Tes soldats ?

— Tiens, regarde. J'en ai des beaux avec des mitraillettes. On peut jouer à la guerre.

Jouer à la guerre ? Meng ne peut pas penser à cela. Et il ne veut pas poser de questions à Frédéric : ce petit garçon joufflu et rieur ne comprendrait rien.

— On joue avec tes billes, dit simplement Meng.

— Pourquoi t'es pas dans la classe des grands ?

— Parce que j'apprends à lire et à écrire.

— D'habitude, tout le monde sait lire en français, à ton âge !... Alors pour les billes, tu fais comme ça. Tu les tiens entre le pouce et l'index et...

*
**

À Cluny, il y a une équipe de sport pour les jeunes. Meng s'y est inscrit et a choisi le cross. Il ne court pas très vite, mais il peut courir pendant des heures et des heures sur n'importe quel terrain sans se fatiguer.

Les samedis et les dimanches, il va s'entraîner seul. Quand il est hors de la ville, il se sent le cœur en paix : il s'arrête pour regarder les plantes et les oiseaux de ce nouveau pays. Mais ici, en France, il ne trouve rien qui lui permette de penser à l'esprit de la terre : il est là-bas, très loin, avec l'esprit des ancêtres enterré dans les montagnes du Laos.

*
**

C'est le mois de janvier. Les deux familles hmongs ont décidé de faire une fête pour le Nouvel An, et d'inviter la famille de Frédéric. Niam a réparé les costumes, refait des coiffures. Elle a brodé une robe pour Yong, et fait briller tous les bijoux.

— Moi, je ne veux pas mon costume, dit Meng.

— Allons, Meng, c'est une grande fête aujourd'hui, dit Niam. La famille de Frédéric va venir.

— Frédéric ne met pas de costume. Il a un pull et un blue-jean.

— Moi, je mets mon costume, dit Tsi. Fais comme moi, Meng. Nous ne sommes pas français.

— Tu as raison, nous sommes des Hmongs du Laos, dit Meng.

Niam a préparé un grand repas avec du poulet, du porc, des œufs, des boules de pâte frites avec une sauce au gingembre, et du riz.

Niam ne voulait pas venir à table avec ses hôtes, selon la coutume des Hmongs. Mais la mère de Frédéric, Madame Vignal, lui a dit :

— Niam Xiong, il faut que vous veniez avec nous, et Kang Mo et Yong aussi. En France, quand une dame a préparé un repas, elle a bien le droit de venir le manger avec tout le monde.

Niam, intimidée, s'est mise dans le coin de la table.

— Est-ce que vous êtes content en France ? demande Monsieur Vignal à Tsi.

— Je remercie la France de m'avoir reçu avec ma famille. Je n'ai plus de terre, je n'ai plus de pays, mes ancêtres sont dans leur prison souterraine, mais je travaille dans votre pays. Il n'y a pas de bombes, pas de guerre. Et vous m'avez donné une maison.

— Moi, je suis heureux. Je suis vivant, dit Meng.

*
**

Aujourd'hui la famille Xiong a reçu une cassette de Guyane et un sac de riz.

Sur la cassette, ils ont entendu la voix de Han Thao :

« Dans notre village de Guyane, il y a cinq cents Hmongs. Nous avons planté notre riz de Pha Mone, et je vous envoie un sac de la première récolte. Je voulais que vous sachiez qu'il y a, loin de vous, un groupe de Hmongs qui travaillent la terre, comme nous le faisions dans notre pays. Ils n'ont pas oublié les Hmongs de France et les Hmongs d'Amérique. Peut-être, un jour, il n'y aura plus de soldats au Laos ; et les Hmongs, les hommes libres, pourront y retourner. »

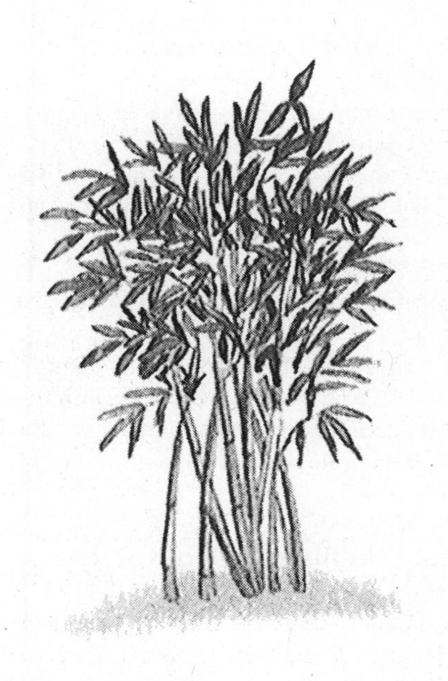

Castor Poche, des livres pour toutes les envies de lire: pour ceux qui aiment les histoires d'hier et d'aujourd'hui, ici, mais aussi dans d'autres pays, voici une sélection de romans.

759 **Monsieur Labulle super magicien** **Junior**
par Massimo Indrio
En pleine nuit, Monsieur Labulle est réveillé par un drôle de bruit. Il découvre alors, dans la cuisine, une petite fille: elle s'appelle Stella, arrive de l'espace, et se dit magicienne. Elle demande à monsieur Labulle de l'accompagner dans une mission... explosive !

758 **Monsieur Labulle super cosmonaute** **Junior**
par Massimo Indrio
Lulu Tirebouchon est le meilleur ami de monsieur Labulle. C'est un inventeur de génie, dont la dernière création est une fusée. Monsieur Labulle accepte de tester l'engin, mais il n'est pas très rassuré : dans quelle drôle d'aventure s'est-il encore embarqué?

757 **Monsieur Labulle super détective** **Junior**
par Massimo Indrio
Monsieur Labulle adore lire les aventures de son héros préféré, Super Super. Quand il apprend le mystérieux enlèvement de l'oncle Rémi, il décide de prouver à son tour son courage. Attention! Monsieur Labulle mène l'enquête... ça décoiffe !

756 **Monsieur Labulle super pilote** **Junior**
par Massimo Indrio
Monsieur Labulle, dans la vie il faut travailler ! Oui, mais quel métier exercer? Pâtissier ou peintre en bâtiment? Pilote d'essai semble une meilleure idée... quelle course!